Super ET Opera viva

Dello stesso autore nel catalogo Einaudi

Senza volo

Federico Pace

Controvento

Storie e viaggi che cambiano la vita

Einaudi

Controvento

Quale puerilità ci induce finché abbiamo in corpo un alito
di vita a convolare all'altro capo del pianeta per vedere il sole?

ELIZABETH BISHOP

Le speranze, sedentarie, si lasciano viaggiare dalle cose
e dagli uomini, e sono come le statue che bisogna fare un
viaggio per vederle perché loro non si disturbano.

JULIO CORTÁZAR

And let the tiger go on smiling in our hearts that funds
ways home.

SAMUEL BECKETT

Prima di partire

Un passo piú in là, un movimento ampio o breve. Andare via proprio in un certo momento. È allora che le cose cominciano ad accadere. Quando si schiude la porta della stanza dei giorni quotidiani e si va oltre l'incanto di un tempo immutabile, oltre la promessa beffarda che la vita può attendere ancora a lungo. Andare via. È allora che la vita sembra poter accadere in maniera piú decisa e repentina. Intensa e improvvisa.

Un passo poco piú in là, un movimento ampio, l'andare via proprio in un certo momento. Un gesto che possa placare l'inquietudine, suggerirci il modo di prendere le misure con la sensazione dell'assurdo e aprirci la strada a una felicità inattesa. Non sarà necessariamente un viaggio lunghissimo che ci porterà dall'altra parte del mondo, seppure qualche volta dovrà essere proprio cosí. Potrà anche essere un perdersi per qualche istante nella città in cui si vive da sempre.

In un'estate di molti anni fa, in un paese d'Abruzzo, quando ancora avevo l'età di un bambino, in quei primi pomeriggi in cui il sole, assoluto ed estremo, costringeva tutti nel chiuso delle dimore in pietra tinte di bianco, uscii di casa senza avvertire i miei genitori. Per qualche motivo, dopo essermi tirato dietro la porta, per qualche ragione che allora non potevo neppure immaginare, invece di salire verso la piazza dove c'era il bar, dove gli amici estivi si riunivano per giocare e ascoltare i segreti che si sussurravano i ragazzi e le ragazze piú grandi, invece di andare verso il rumore dei flipper, le canzoni del jukebox e il raffreddato ronzio del frigorifero orizzontale che celava il dolce tesoro dei gelati, invece di avviarmi verso quella specie di micro-comunità estiva e giovanissima che si andava formando nell'antro del bar, voltai le spalle alla casa e andai nella direzione opposta. Cominciai a scendere lungo la strada fino alla grande curva, da dove si vedeva l'intera valle, e poi proseguii ancora percorrendo la via che portava fuori dal paese. La luce accecante, le foglie ampie delle viti, le sedie di paglia poggiate di fianco alle porte di casa.

Una volta uscito dal paese, mi lasciai dietro le ultime abitazioni di pietra, l'odore dei fichi maturi caduti a terra dai rami ritorti e mi inoltrai nell'assordante mare di cicale e nella bellezza magra dei mandorli. Camminavo sul ciglio della strada. I rovi erano pieni di more maturate dall'ossessivo calore del sole. Non passava alcuna automobile. Piú avanzavo e piú il caldo si faceva denso. Se mi giravo, potevo vedere le case del paese rimpiccolirsi. Se mi voltavo, potevo vedere la casa con le finestre e il balcone da cui mi affacciavo con mia madre diventare indistinguibile nel biancore estivo di un miraggio. Dove stavo andando? Cosa avevo in testa? Pensavo davvero di raggiungere a piedi il paese in cui andavamo in macchina a fare la spesa? Non sapevo quanti chilometri distasse. Non sapevo neppure cosa fossero i chilometri. Non avevo nessuna cognizione della misura e del tempo. Non avevo alcuna idea di cosa fosse la distanza. Mentre andavo, provavo una specie di paura. E, insieme, un'attrazione per quella paura. Nel mezzo della valle dolce e assoluta, silenziosa ed errabonda, ero solo. Non avevo la percezione di nient'altro se non della mia solitudine che si inoltrava in uno spazio e in un tempo di cui non conoscevo nulla. Era la prima volta che mi misuravo con una sensazione del genere. Era la prima volta che prendevo le distanze da quel che mi era familiare.

L'estate scorsa, ormai lontanissimo da quel paese in Abruzzo in cui non sono piú tornato, mi è capitato tra le mani un

taccuino di Albert Camus. In una delle prime pagine scrisse
che il valore del viaggio è nella paura. Quel pensiero gli era
cresciuto dentro quando era andato alle Baleari nell'estate del
1935. Raccontava di ciò che aveva provato, della lontananza
dal suo paese e dalla sua lingua. In quella dimensione com-
prese che l'apporto piú reale del viaggio non era il piacere,
ma quel renderci febbrili e porosi. Tanto che ogni «minima
emozione ci scuote fino al fondo dell'essere».

Un passo poco piú in là, un movimento ampio, l'andare
via proprio in un certo momento. La vita che comincia, o ritorna, ad accadere. Il viaggio ci espone e ci spinge verso quel
che deve accadere, qualcosa di sorprendente e follemente felice, qualcosa di inatteso, o anche qualcosa con cui infine si
riesce a fare i conti. Il viaggio come spaesamento, caduta, risalita. Il viaggio sancisce, condensa e svela qualcosa che ancora non si sapeva: l'uscita dall'infanzia, la conquista delle cose
insperate, una riconciliazione, la scoperta di un'amicizia, la
fine di un legame che si pensava sarebbe durato a lungo, la
comprensione di qualcosa che fino ad allora non c'era stato
alcun modo di intuire. Ogni viaggio, anche se non potrà piú
essere quello di Argo, la prima nave che solcò i mari, porta
con sé una porzione di vita nuova che accade. Il disincanto
e la delusione; il conforto e il riscatto. Un dono o la scoperta di una perdita.

Quando infine, stremato e spaesato, giunsi in quel paese dopo aver percorso una ripida salita, dopo un tempo lungo di cui non ero stato per niente consapevole, mi infilai nel
bar della piazza e chiesi un gettone al barista. La prima cosa
che feci fu telefonare a casa. Ricordo che venne a prendermi
mio zio a bordo di una Fiat 124. Ricordo l'attesa sui gradini
infreddolito dall'ombra e dal timore. Nel viaggio a ritroso
non ci furono parole. Non ricordo se fui rimproverato, non
ricordo se fui punito, colpito o minacciato. Ricordo ancora,
a distanza di piú di quarant'anni, solo la paura, nel bel mezzo della valle, e l'attrazione per quella paura. Ricordo che
qualcosa era cambiato per sempre.

Un passo poco piú in là, un movimento ampio, l'andare
via proprio in un certo momento. Le storie raccolte in questo volume inseguono alcuni protagonisti in quegli attimi e
in quei luoghi, in quei viaggi, in quei gesti e in quelle fughe,
alle curve del tempo, in cui si sono trovati a desiderare, e
ad accettare, che la vita cominciasse ad accadere. O tornas-
se a farlo di nuovo, dopo un tempo troppo lungo in cui nulla
sembrava piú possibile. Qualcosa che non può essere eluso,
qualcosa che dà modo di avvicinarsi piú chiaramente a quel
che altrimenti pare sfuggire. Comprendere con maggiore net-
tezza ciò che si è. E quel che si sta per diventare. Conquiste
e perdite. Attese e ritorni. Nascite e mutamenti. Andare via.
Accettare quella paura di cui diceva Camus. Essere porosi e
febbrili. È allora che la vita sembra poter accadere in maniera piú decisa e repentina. Intensa e improvvisa.

Legami e battaglie

Nostalgia della foresta

Fu il presidente della Repubblica Brasiliana, Juscelino Kubitschek, a chiedergli di intraprendere il viaggio verso la città che non esisteva. Oscar Niemeyer si trovava allora sull'altopiano della vita adulta. L'architetto aveva compiuto da poco cinquantaquattro anni. Neppure lui sapeva dire in quale punto della vita si trovasse. Non poteva certo immaginare che sarebbe vissuto fino a centocinque anni e che qualcosa di insperato stava per accadere.

Niemeyer era nato nel quartiere Laranjeiras di Rio de Janeiro, dove aveva sempre abitato. Era un carioca, un appassionato di samba, un architetto affermato e, come accade a pochi di loro, incarnava quella professione con le migliori intenzioni. Forse perché da piccolo rimaneva per ore con il dito puntato in aria e alla madre stupita e preoccupata, che sempre gli chiedeva cosa stesse facendo, lui rispondeva semplicemente: Disegno. Era un uomo a cui piaceva rimanere lí dove era nato, in quella città sul filo del mare con la baia piú sorprendente di tutte.

Ma doveva decidere. Kubitschek gli aveva chiesto di lasciare Rio e andare nel bel mezzo del deserto. Lontano oltre mille e duecento chilometri da tutto quello che aveva di piú familiare, lontano dagli amici e dai parenti, dalla moglie, la figlia, il padre e la madre. Verso Petrópolis, verso le foreste della Serra dos Órgãos, verso Três Rios. Entrare nello stato montuoso di Minas Gerais, passare per Belo Horizonte e

proseguire ancora piú in là. Attraversare il confine dello stato
di Goiás e raggiungere gli altipiani deserti, il *sertão*, dove la
terra è rossa e tira un gran vento. Partire in direzione della
città che non esisteva. Costruire gli edifici piú belli di Brasilia. Oscar capí che alcuni viaggi possono cambiarti la vita.

Quell'invito era un dono, una sorta di sogno tropicale
che gli offriva l'opportunità di capire, su una scala impensabile, cosa era davvero in grado di fare. Misurarsi con i limi-
ti, comprendere quel che non sarebbe riuscito a conseguire.
Non restava che scoprire con quale mezzo arrivare fin laggiú. A lungo, nella sua testa, Oscar si era concesso l'illusione
che prima o poi avrebbe trovato il coraggio di salire le scalette dei nuovi Boeing e, una volta a bordo, in quell'antro
pressurizzato, avrebbe accettato che la flessuosa gentilezza
di una hostess lo accompagnasse al suo posto, dove avrebbe affrontato l'irrazionale e roboante istante del decollo. A
lungo aveva ingannato se stesso con la convinzione che quei
mille e duecento chilometri che separavano Rio da Brasilia
li avrebbe affrontati in volo. Poi, però, all'acquisto del biglietto aereo seguiva sempre la rinuncia. Finché, dopo una
serie di tentativi falliti, non accettò quella sua propensione
a rimanere con i piedi prossimi al terreno e si convinse ad
andare in automobile. E in quella decisione di percorrere in
auto le infinite strade, in quell'idea di mettersi in cammino
in una maniera cosí avventurosa si sentí come Don Chisciotte, quel personaggio dalla propensione picaresca e dall'attrazione per l'irreale. In fondo, anche Alonso Quijano aveva compiuto da poco cinquant'anni quando, divenuto Don
Chisciotte, partí per il suo lunghissimo viaggio-sortilegio
attraverso la Spagna e i suoi deserti. Il viaggio verso qualcosa che non esisteva, ma che era sul punto di esistere solo
perché lui aveva cominciato a pensarci. Anche lui si appre-
stava a erigere qualcosa di immenso, qualcosa che si sarebbe
insediato, come solo una grande città può fare, nell'universo
dell'immaginario dell'uomo.

Con qualche compagno, con qualche amico, Niemeyer

partí verso la città che non esisteva. Forse perché era un carioca e amava la compagnia, forse perché capiva che da solo
sarebbe impazzito. Perché dell'altro, del simile e del diverso, dell'amico, non si può fare a meno. Si dice che Niemeyer
provasse persino un po' di piacere nel pregustare quel tipo di
viaggi. Senza sapere quando sarebbe arrivato, senza sapere
se sarebbe mai arrivato. Intraprendeva le spedizioni verso
Brasilia cosí, quasi spinto da una brezza.

Una brezza, un giro del vento, la curva del tempo. Erigere una città, costruire edifici, lasciare un segno. Quando,
nel 332 avanti Cristo, Alessandro il Grande volle costruire
una città dal nulla per onorare la propria gloria, si rivolse a
Dinocrate di Rodi, il piú importante architetto macedone del
tempo. Anche lui dovette intraprendere un viaggio, un lungo
viaggio fino in Egitto. Costruire una città, pensare una città.
Come un Dio che deve creare un universo senza che nessuno
gliene abbia fatto mai vedere uno. Come qualcuno che deve
misurarsi con l'enigma dell'immaginazione.

Partirono con una Saab. Con lui c'era qualche amico:
Gadelha, ovvero Tibério César Gadelha, un giornalista
che Niemeyer aveva conosciuto ancora prima di fondare la
propria azienda di costruzione; Galdino Duprat, un architetto molto legato a Oscar; ed Eça, che se ne stava per lo
piú sdraiato sul sedile posteriore. Duprat era salito in auto solo perché gli avevano giurato che erano diretti a Belo
Horizonte. Il viaggio scorreva, sembrava che tutto andasse bene. Brasilia era ancora molto lontana, ma la macchina
non mostrava problemi e il clima era splendido. Le montagne della Serra Fluminense e le case di Petrópolis. I quattro amici, anche se guidavano a turno, cominciarono a stan-
carsi. Il viaggio era lungo e le strade da percorrere perlopiú
sterrate. Di tanto in tanto si fermavano per riposare, anche nel bel mezzo di un campo. Poi tornavano sulla strada.
Il cielo limpido e un vento forte. Três Rios, Juiz de Fora.
Barbacena. Quando non era alla guida, Oscar guardava le
nubi in cielo. Era colpito dalle forme inaspettate che sorge-

vano nello spazio. A volte gli sembravano cattedrali enormi
e misteriose. Altre volte prendevano le sembianze di guer-
rieri minacciosi. Ciascuno ha fatto questo gioco, ciascuno è
rimasto rapito dall'illusoria trasformazione di quei carichi
di umidità a contatto con i venti. Ciascuno ha assistito alla
creazione, ha sentito la vertigine. Ma cosa può provare un
uomo che deve costruire una città di fronte alla sfida lieve
e leggera, impalpabile e inafferrabile che gli viene lanciata
dai soffi del vento? L'enigma dell'immaginazione. Chisciotte. Dinocrate. Niemeyer.

    Le strade non erano state asfaltate. Per lo più si tratta-
va di terra battuta. Dopo diverse ore alla guida, raggiunsero
Belo Horizonte. Si fermarono, riposarono. Quando Oscar e
gli altri due risalirono in macchina svelando che la meta del
viaggio era Brasilia, Galdino Duprat si infuriò. Giustificabi-
le, un viaggio cosí infinito può generare incomprensioni anche tra amici. Sul sedile posteriore Galdino evitò di parlare
con gli altri per un bel po'. Dove ora c'è un ponte, piú avanti, verso Três Marias, al confine segnato dal Rio São Francisco, si dovettero fermare. Non potevano fare altrimenti.
Sgranchirono le gambe e aspettarono il traghettatore con il
ferryboat. Giusto il tempo di starsene un po' per conto proprio, Duprat ancora imbronciato, Oscar a pensare a quello
che sarebbe accaduto.

    In alcune foto dell'epoca si vede Oscar Niemeyer cam-
minare con i suoi collaboratori in mezzo ai campi con l'erba alta e il deserto intorno. A Brasilia erano lontani da tutto, coperti dalla polvere rossa. Durante i periodi di siccità
quella polvere s'incrostava sulla pelle. Durante la stagione
delle piogge rimanevano paralizzati dalle acque torrenzia-
li che scorrevano senza alcun argine. In una di quelle foto,
mentre cammina a testa alta, Oscar perlustra il terreno dove
sarebbe sorto il Palácio da Alvorada, il palazzo divenuto la
residenza del presidente della Repubblica. A colpire di piú
di quella costruzione magnifica, a cui per giorni lavorarono
oltre settecento operai, sono le colonne rovesciate, leggere

come vele, quelle colonne che ancora oggi, a distanza di piú di cinquant'anni, fanno sembrare il palazzo un sogno poggiato momentaneamente sulla terra. Un'idea leggera. Il palazzo dell'Alvorada fu il primo edificio a essere inaugurato il 30 giugno 1958. Agli occhi di André Malraux, che andò a trovare Niemeyer fino a Brasilia, quelle colonne apparvero come le piú belle dopo quelle dei greci.

Ciò che rimane del tempo. Le colonne dei greci. Della originale Alessandria d'Egitto, la città pensata da Dinocrate di Rodi, non rimane quasi nulla. Le stratificazioni del tempo, i terremoti, le guerre, i crolli. Qualche pezzo è sparso nei musei, molti altri giacciono probabilmente negli abissi del Mediterraneo. Un'Atlantide scomparsa. Dinocrate, che quella città l'aveva progettata come ponte tra l'Egitto faraonico e interno e l'impero greco del commercio marittimo, pensò anche alla costruzione delle strade. Le fece realizzare in modo che i venti che soffiavano dal mare vi si incanalassero e corressero per la città, per rinfrescarne ogni angolo. Cosa rimarrà di Brasilia? Cosa accadrà di questo sogno nato negli anni in cui il Brasile volle mettersi alle spalle il passato di colonia tropicale e diventare qualcosa d'altro, di moderno? Gonzalo Viramonte, fotografo e architetto argentino, è tornato a Brasilia cinquantacinque anni dopo e ha ritratto gli edifici pensati da Niemeyer. Se si mettono a confronto le sue fotografie con quelle che mezzo secolo prima aveva scattato Marcel Gautherot, quando la città stava sorgendo come un fiore dalla terra, proprio negli attimi in cui Niemeyer lasciava che l'enigma dell'immaginazione lo aiutasse, le differenze sono evidenti, eppure sembrano cosí inessenziali, se si pensa al corso del tempo. Alla fine quegli scatti, realizzati a distanza di poco piú di mezzo secolo gli uni dagli altri, certificano, nonostante l'intenzione, l'impossibilità di catturare il futuro di Brasilia. Viene da pensare che se a osservarle fosse un dio, una divinità, l'essenza segreta dell'universo, forse socchiuderebbe gli occhi e scrollerebbe di pochissimo le spalle, come a dire che il tempo, quello vero, non è ancora trascorso.

Quando il ferryboat li portò oltre il fiume, Oscar e i suoi amici ripresero il viaggio verso Brasilia, verso la città che non esisteva. La strada cominciava a condurli attraverso spazi sempre piú sconosciuti. La vegetazione si faceva piú folta e le condizioni del terreno peggioravano. Sentirono una scossa improvvisa. Rimasero interdetti. Ma non c'era niente da fare. La macchina si era già fermata. Scesero tutti e quattro, anche Eça, quasi sempre sdraiato a sonnecchiare, e si accorsero che l'automobile era finita in una buca. Senza pensare al fatto che si trovassero in discesa, o forse proprio per quello, cominciarono a spingere per fare uscire la Saab da quella cavità del terreno. Spinsero con molta forza e una certa avventatezza, con quella forza che si ha nel bel mezzo della propria vita. La macchina uscí dall'infossamento e prima cominciò a scendere lentamente lungo il declivio, poi sempre piú veloce. Per un po' le corsero dietro, tutti e quattro dietro quella vettura nel bel mezzo del nulla del Brasile, anche Oscar, l'uomo che stava per diventare il creatore di una città che non era mai esistita. Corsero per un bel tratto, poi si fermarono, tutti e quattro insieme. Anche Oscar. Si fermarono a guardare la macchina che scivolava via, lungo la discesa, veloce, fuori dal loro controllo, nel bel mezzo del Brasile. Loro, da un lato, e la vettura che scivolava via, dall'altro. Cosa provarono lí fermi a scrutare la vettura lungo il pendio? Paura per ciò che li aspettava nel bel mezzo del nulla con la notte ormai vicina? Preoccupazione per come sarebbero arrivati a Brasilia? O invece vennero colti da un inspiegabile e improvviso senso di sollievo e leggerezza?

Dopo averla osservata scivolare via, in quegli istanti preziosi in cui tutto sembra poter accadere, o in cui, per una qualche ragione, il tempo sembra prendere congedo dall'intero universo, la Saab tornò a essere qualcosa di concreto e di reale, molto reale, e andò a sbattere contro la boscaglia. Allora i quattro amici si avvicinarono e girarono intorno all'auto, cercando di capire come tirarla fuori da lí. Cominciarono a temere il peggio. I cespugli della selva erano alti fino alle spalle, ma non si poteva fare altro che tirare e spingere. Alla fine riuscirono a estrarre la vettura. Aprirono gli sportelli e salirono con una certa cautela mista al sollievo di chi ritrova qualcosa che riteneva di aver perduto per sempre. Con loro grande sorpresa, il motore si accese e poterono riprendere il viaggio. Ma quell'abbrivio, quel rinnovato movimento, come alle volte accade, fu solo un'illusione, un ultimo colpo di vita che inganna. L'automobile infatti si spense lentamente, fino a fermarsi di fronte a una ripida salita. Non riuscirono a ingranare la marcia. Le provarono tutte, dettero gas e agitarono la manopola del cambio. Niente da fare: i quattro erano di nuovo fermi nel bel mezzo del nulla con una vettura che non ne voleva piú sapere di accendersi. Non avevano idea di dove fossero. La notte era nera e ogni rumore, anche il piú lieve, veniva amplificato in quel vasto silenzio che li circondava.

Era notte fonda anche quando Oscar Niemeyer e i suoi amici si misero a guardare la struttura dell'Alvorada. Forse dalla stessa distanza da dove, anni prima, avevano osservato la vettura fuggire via lungo la discesa che si perdeva nei cespugli. L'Alvorada era pronta. Rimasero di sasso. Sembrava qualcosa che non aveva altra finalità se non la propria bellezza. Una scultura. Costruire una città in Brasile, tra l'Amazzonia e il nulla. Quando il poeta Iosif Brodskij visitò il Brasile pensò che tutta la cultura europea, con le sue cattedrali, il gotico, il barocco, il rococò, le sue volute, le spirali, i pilastri, non fosse altro che la nostalgia della foresta provata dal primate che la abita nei recessi piú intimi. Per quel motivo, pensò, l'architettura era nata nel Mediterraneo. Perché l'architettura comincia esattamente dove la natura arretra e lascia spazio. Ma quella di Niemeyer era qualcosa d'altro? Era una liberazione dall'era coloniale? Un riscatto? Una rivolta contro tutto quel mondo convinto che nessun brasiliano sarebbe mai riuscito a erigere una città nel giro di pochi anni? Un gesto donchisciottesco, come il viaggio in automobile? O anche quella, inconsapevolmente, era nostalgia della foresta?

Oscar, Duprat, Gadelha ed Eça passarono la notte chiusi
in macchina. L'oscurità assoluta. Saranno state le due o le tre
di notte, non una sola vettura che passasse di lí. Il freddo pe-
netrava nelle ossa, cosí si strinsero l'un l'altro per scaldarsi.
Nessuno riusciva a prendere sonno. «Oh merda!» disse uno
di loro quando dal profondo della boscaglia vide due selvatici punti di luce. «Sarà un giaguaro», lo sfottè Eça, pren-
dendosi gioco della paura dell'altro. Nonostante tutto s'in-
camminarono nel buio.

Quei viaggi tra Rio de Janeiro e la città che non esisteva
cambiarono per sempre Oscar. È a Brasilia che la sua architettura divenne piú libera e rigorosa. Libera, disse, in senso
plastico, e rigorosa nella preoccupazione di mantenerla in pe-
rimetri regolari e definiti. I palazzi cosí leggeri da sembrare
che toccassero appena il suolo. Realizzò qualcosa che non
s'era mai visto. Quando il cosmonauta Jurij Gagarin arrivò
a Brasilia a bordo di un aereo, lui che non era mai riuscito a
mettere piede sulla Luna, non poté trattenersi dal dire: «Ho
avuto per la prima volta la sensazione di essere atterrato in
un luogo diverso dalla Terra».

Arrivò l'alba, portata da un cielo rosso sangue. La boscaglia si risvegliava, gli uccelli cantavano, la vita pulsava
ovunque intorno ai quattro amici. Si erano allontanati, per-
dendosi, dalla strada giusta? Quanto distava ancora Brasilia? Cosa sarebbe successo loro? Verso le nove del mattino
un camion apparve all'orizzonte. Oscar e Gadelha saltarono
su, aggrappati ai sacchi, e alla fine della strada scesero per
andare a cercare aiuto.

Il 21 aprile del 1960 Brasilia, la città che non esisteva,
venne inaugurata ufficialmente tra i festeggiamenti. Niemeyer, però, che amava sempre la compagnia, questa volta
rimase a Rio de Janeiro. Lontano da tutto. Non intraprese
un altro viaggio. Non partí con nessun amico. Lasciò la vettura lí dov'era e non ne noleggiò un'altra. Per qualche ragione, preferí il congedo alle celebrazioni. Tornò a Brasilia
solo l'anno successivo, nell'aprile del 1961, quando Juscelino

Kubitschek, il presidente che lo spinse alla curva del tempo, dovette lasciare il potere a Jânio Quadros: tre anni prima che il sogno del nuovo Brasile venisse travolto dalla dittatura militare. Quel giorno pioveva a dirotto, ha raccontato Niemeyer. Come se la natura partecipasse al triste addio. Non assistette alla cerimonia di investitura, come non aveva assistito alle feste di inaugurazione di Brasilia, ma quel pomeriggio si mescolò alla folla. Era così inzuppato, che i vestiti gli si incollavano al corpo.

Dove il fiume scompare

Un battello per fuggire verso un bosco in un pomeriggio di sole. L'incedere lento, i paesaggi conosciuti a cui l'occhio guarda con un inconsueto stupore. Il ritorno dell'estate. La brezza e le curve inattese. La sensazione che possa accadere di nuovo qualcosa. L'inspiegabile convinzione che il misterioso meccanismo del tempo, con tutti i suoi avvenimenti, possa rimettersi in moto davvero, lasciandoci intravedere qualcosa: una piazza, un volto, una persona. Qualcosa che prima non si era veduto e che, nel torpore dell'inverno, si era smesso di immaginare e desiderare.

I tram rossi e bianchi su via Masarykovo nábřeží, il lungofiume sulla riva destra della Moldava e il colore del miele del Teatro Nazionale. Milena Jesenská arrivò all'appuntamento, nel cuore di Praga, con quel gruppo di artisti dell'avanguardia. L'estate del 1926, un caffè e una galleria d'arte. L'imbarco Rašín, oggi come ieri. Milena salí sul battello a vapore che prendeva il nome di *Primátor Dittrich*. Basso e con le ruote a pale, invecchiato dai tanti viaggi e dai tanti passeggeri, uno di quei battelli che facevano avanti e indietro sul fiume da prima ancora che arrivasse il Novecento. Aveva ricevuto l'invito dal Circolo delle Arti figurative. Era tornata a Praga da poco, si era riappacificata con il padre, aveva trovato una stanza dove abitare. Anche il lavoro da giornalista cominciava a dare i primi frutti. Di quella compagnia conosceva poche persone, tutte le altre le avrebbe incontrate per la prima volta. Non era stato cosí anche quando aveva conosciuto Franz Kafka?

Milena Jesenská cosí vitale, vibrante, eppure, nella memoria, nelle narrazioni, cosí inchiodata come una farfalla alla storia dolorosa con lo scrittore piú enigmatico e moderno del secolo che sarebbe stato breve. La sua vitalità era sempre stata affascinante, tanto che Kafka stesso, di lei, diceva che era un fuoco, un fuoco che bruciava come non aveva mai veduto. Quell'estate, anni dopo che lo scrittore era già scomparso, giunse il momento in cui Milena divenne piú che mai se stessa. Una farfalla che nessuno poteva inchiodare ad alcun muro.

La città scorreva ai fianchi del battello. Gli edifici con i giardini fioriti, la rocca del Vyšehrad. A bordo con lei, tra gli altri, c'erano Adolf Hoffmeister e Karel Teige. Personaggi chiave dell'avanguardia Devětsil, il gruppo artistico che aveva preso il nome dal fiore che per primo sboccia in primavera. La sensazione che possa accadere di nuovo qualcosa. Qualcuno, forse, aveva già letto *Il castello*, uscito postumo proprio quell'anno. Di certo Milena lo aveva avuto tra le mani. Ma del passato, lei sapeva bene cosa si doveva fare. Soprattutto in quel giorno d'estate. Quello stesso anno, in un articolo pubblicato verso la fine di agosto avrebbe scritto che il passato si conosce perfettamente e curarsene è inutile, perché non possiamo cambiarlo. Cosí come l'avvenire, di cui costantemente ci preoccupiamo, ma inutilmente, giacché non siamo in grado di prefigurarlo né di plasmarlo a nostro piacere. «L'unica cosa di cui non sappiamo niente è il presente, questo pomeriggio, l'ora stessa che stiamo vivendo».

L'ora che stiamo vivendo. L'incedere lento, i paesaggi conosciuti a cui l'occhio guarda con un inatteso stupore. Quel fiume, Milena lo conosceva bene. Quando era studentessa, con le amiche, di notte si tuffava nella Moldava senza togliersi gli abiti di dosso. L'irruenza della vita, la voglia di immergersi nel tempo di quel che accadeva. Il corpo. La sensualità. Leggeva i libri di Knut Hamsun e cercava nelle

pagine di Dostoevskij l'ulteriore dose di vita che il giorno,
da solo, non poteva offrirle. Il fuoco le bruciava dentro, come molti non avevano mai veduto.

Dopo il ponte ferrato, il battello proseguí ancora. Milena conobbe cosí uno dei compagni di viaggio, l'architetto
Jaromír Krejcar. Lui le raccontò che aveva letto i suoi articoli. Il design, la moda. Erano cose che gli interessavano.
Ma forse gli interessava anche tutto quello che c'era dietro.
L'uomo cominciò a seguire il filo che dalle parole portava fino a lei. Una strana scintilla da qualche parte del cuore. L'i-
dea che si potesse provare qualcosa che prima non s'era mai
provato e che, nel torpore dell'inverno, s'era smesso di immaginare e desiderare.

La sensazione che possa accadere di nuovo qualcosa. Una
pagliuzza d'oro brillava nel fondo del lago delle loro parole e
piú parlavano piú la vedevano chiaramente, quella pagliuzza, la mettevano a fuoco, quasi l'afferravano. Anche lui, come Kafka, cominciò a vedere quel fuoco che bruciava. Ma
non ne ebbe paura. Forse, a differenza di Franz, sapeva come camminarci dentro, come conviverci, come tenerlo vivo.

Il battello risalí le correnti della Moldava andando verso sud-ovest e seguendo le curve e le piegature che il corso
d'acqua ha scavato nel tempo. Le sponde della città a volte
si facevano piú vicine, poi si allontanavano subito, come a
voler lasciare i passeggeri piú liberi. Gli spazi verdi si facevano avanti, la città accettava di regredire e allontanarsi. Dopo un'ora e mezza la comitiva arrivò alla meta. Il castello
Zbraslav. Nessuno di loro però volle visitare gli imponen-
ti edifici trasformati in residenza all'inizio del xviii secolo.
Quello non era un giorno per rimanere chiusi dentro le pareti
di una stanza. Allora attraversarono il fiume con un piccolo battello e, giunti dall'altra parte, si fermarono a mangiare
in una locanda. Il bosco. La voglia di parlare. Il tempo che
passava lieve come solo d'estate riesce a passare. Il presente,
quell'unico tempo di cui non sappiamo nulla. I due rimasero
vicini a cercare il pertugio per sfiorarsi ancor piú da vicino. Il

cielo e le nuvole rare che si muovevano precipitose nel cielo. Il rumore dei bicchieri sui tavoli, il vociare delle persone, le bici poggiate sulla schiena del muro. I passi veloci dei bambini e gli abiti leggeri delle donne.

Quando poi rientrarono, il traghetto si lasciò andare alle correnti della Moldava. Fu piú rapido, o comunque lo sembrò. Arrivarono di nuovo al punto d'imbarco, era sera. Molto sembrava essere trascorso in pochi minuti, ma molto ancora sembrava che potesse essere vissuto. Lí, in quel crocicchio di strade, Jaromír si propose di accompagnare a casa Milena, nella stanza in cui aveva traslocato da poco. Cominciò cosí un altro viaggio, ancora piú personale e minuto. La sensazione che possa accadere di nuovo qualcosa. Il timore che possa coglierci impreparati con la voce arrochita per la lunga notte dell'inverno e con gli occhi socchiusi. E invece riuscire a scendere scalzi dal letto della propria distrazione e avvicinarsi a chi è lí davanti a noi. Essere felici, almeno per un istante.

Attraversarono di nuovo la Moldava al ponte della Legione. Dall'altra parte, sul marciapiede, si sentiva il rumore delle loro scarpe. Le vetrine chiuse dei negozi di tessuti. Davanti a loro, nel buio, il verde della collina vicino al castello di Praga. Svoltarono a destra, si persero nelle stradine. Si fermarono, si sfiorarono, e camminarono di nuovo. L'anno successivo si sposarono. Vissero insieme una porzione di vita piena come per Milena, la vita, non lo era mai stata. Di quel periodo, di quel matrimonio, che terminò otto anni dopo, disse che fu il periodo piú felice della sua vita. Durante quegli anni le sembrò di danzare per tutto il tempo. Non fu lunghissimo quel tempo, ma forse l'estensione non fu la cosa piú importante. In quell'articolo pubblicato il 26 agosto del 1926, dopo il viaggio in battello sulla Moldava e il pomeriggio trascorso sui prati, seppure lei non resistette a concedersi un filo di amarezza per il presente sentito come uno spazio esiguo, un tempo elusivo, ci tenne a ribadire, quasi rimandando al ricordo di quella giornata, di quel viaggio, quanto sia stupendo quel che ci viene concesso, «questa radura sabbiosa, piena di erica e di esili pinastri dalle cui chiome filtra la luce del sole». Il cielo, le nuvole e quel riverbero inatteso che brilla ancora laggiú, dove il fiume scompare dietro la curva del tempo.

Tutto il tempo di una vita

Non ci accorgiamo subito quando sta cominciando un'amicizia. Il varco sotto cui ci chiniamo per passare, per uscire dalla stanza della solitudine, neppure lo vediamo. Solo dopo, solo dopo qualche tempo, quando siamo già passati sotto quel varco, scopriamo di essere altrove, di non essere piú soli. Un viaggio, un percorso notturno, alcune parole scambiate in quella porzione di tempo in cui ogni cosa prende una forma inattesa, quando il giorno, a cospetto della notte, ha preferito dileguarsi come se si fosse sentito inadeguato di fronte a ciò che stava per accadere. Una complicità, un gesto condiviso, un'infrazione alla regola o a un patto stretto precedentemente con qualcuno. A innescare l'amicizia, alle volte, è proprio una fuga in macchina quando la notte si è già fatta avanti.

Jorge Luis Borges e Adolfo Bioy Casares lasciarono la villa di Victoria Ocampo nella notte. Come due fuggitivi. In quella casa, in quel giardino a San Isidro nella zona residenziale a nord di Buenos Aires, gli ospiti, anche se il sole era tramontato da tempo, erano accecati dalle luci, dai cristalli, dai liquori e dalla forma imbrigliata delle parole e di quel che si deve dire in certe situazioni senza sembrare fuori luogo. Jorge Luis, già in parte privo della vista, poco piú che trentenne, di gran lunga indifferente a un certo tipo di formalità, aveva fatto cadere una lampada a terra, forse distrattamente, forse intenzionalmente, e Victoria Ocampo non aveva resistito alla tentazione di lamentarsi con lui e con Adolfo, perché, nel frattempo, i due si erano rintanati a parlare tra loro senza prestare attenzione agli altri. Quando Borges le fece capire che non aveva alcun desiderio di restare, Victoria rispose, invano, «aspettate almeno che arrivi l'ospite». Si trattava di un diplomatico inglese o chissà chi. Quello che si perde, alle volte, vale la pena perderlo e dimenticarlo. Non farlo neppure entrare nell'orbita della propria esistenza. Cosí Adolfo propose a Jorge Luis di accompagnarlo a casa in macchina. Andarsene via prima del tempo, percorrere le stradine di San Isidro, scivolare, nella notte argentina, lungo le immense *avenidas* di Buenos Aires.

Fuori dalla villa, il vicolo Elortondo finiva nella selva. Le case a due piani, alcune gialle con le tegole, altre bianche con le verdi ante delle finestre. I marciapiedi di un colore rosato che sembra quasi lo stesso della mappa del 1935 nella *Edición Peuser* conservata alla Biblioteca Nacional di Buenos Aires. La svolta a sinistra sulla via stretta ora intitolata al presidente Uriburu. La leggera discesa tra gli alberi e le fronde che fuoriescono dai muri di cinta delle ville. La grande tranquillità. Forse nelle orecchie ancora il frastuono di quella serata. Il frantumarsi inesorabile della lampada al momento di toccare terra, l'eco delle parole pronunciate in disparte. I fiori rosa che crescono sui rami nel buio della notte. Le insegne delle agenzie immobiliari che offrono in vendita case svuotate dei mobili e delle memorie di chi ci ha vissuto. Le acque chiuse, silenziose, azzurre e ricche delle piscine dietro le mura delle ville, come se ciascuno potesse ritagliarsi un piccolo mare per sé in mezzo a quel verde. Un mare privato, ristretto e ammaestrato.

La notte e il mistero della vita. Il sapere e la risalita dell'uomo dalle grotte della sua esistenza primitiva. Le lettere, le parole scritte, quel che si può conoscere e dire. Il ritmo, la poesia e il segreto dell'esistenza. Mentre Bioy Casares teneva la sinistra della strada, per quella ragione insondabile secondo cui l'Argentina, come membro onorario dell'impero inglese, aveva imposto agli automobilisti le regole viarie dell'isola di Albione, Borges dapprima rimase silenzioso. In alcuni casi, quando ci si mette in viaggio, non c'è bisogno di pronunciare molte parole e può bastare ascoltare il rumore delle ruote avanzare sulla strada, respirare l'aria della notte che sfiora il viso, assaporare il senso della fuga. Bioy Casares aveva appena diciotto anni, in quella notte dei primi anni Trenta del secolo scorso. Forse senza sapere neppure lui bene il perché, si mise a parlare con fervore di un poeta allora a capo delle pagine letterarie di un quotidiano *porteño* che, per sventura o inadeguatezza, non venne poi ricordato da molti. Quando ci chiniamo sotto il varco che ci condurrà all'amicizia, riusciamo a passare non perché mostriamo il meglio di noi, ma piuttosto perché, mentre ci chiniamo, lasciamo scoperto qualcosa che ci appartiene davvero. Anche la timidezza, l'avventatezza e l'imprecisione.

Sul ciglio della strada, i corpi dei platani con i rami rivolti verso l'alto al pari di dita imploranti, grandi e lunghissime. Le piccole case in mattoni rossi. All'incrocio, una *vinoteca* e le auto parcheggiate lungo i marciapiedi. Nella notte, le vetture incolonnate nella stessa direzione formano una collana di perle rosse luminescenti. Rare le luci bianche che viaggiano in senso opposto. Appaiono prima lontane, minute come spilli, poi rapidamente diventano piú grandi e vicinissime, per scomparire, d'un tratto, dietro le spalle, verso San Isidro e ancora piú a nord. L'Avenida del Libertador si fa sempre piú ricca di vegetazione. I villini bianchi. L'entrata dell'università di San Isidro e del Colegio Carmen Arriola De Marín. Nessun negozio. Solo all'angolo, sotto le tende, una drogheria o qualcosa del genere. Un uomo in moto. I bus della Monsa. I *colectivos*. E poi i moderni centri di fitness. Le pompe di benzina. Uno dei locali del Club de La Milanesa con i *medallones de peceto*, i *langostinos empanados* e le *pechuguitas crocantes*. Il centro di traumatologia ortopedica e di riabilitazione di San Isidro con le pareti bianche e i tetti spioventi. Il Colegio di Santa María de Luján aperto da piú di un secolo. Prima era solo un asilo, poi anche l'e-

ducazione primaria e secondaria. Al mattino alcuni bambini
dell'istituto arrivano da soli, senza i genitori ad accompagnarli. Si tengono l'un l'altro per mano. Quanto è grande la
soglia che varcano per chinarsi sotto l'arco che apre la strada
al sortilegio dell'amicizia? Le piccole mani strette. La strada sconosciuta. La croce della chiesa. Le palme del collegio.
I gradini da salire.

I libri, le parole e le amicizie. Per una specie di coerenza,
Cicerone, per comprendere e dire dell'amicizia, invece delle
sue parole usò quelle dell'amico Lelio. Disse che l'amicizia è
superiore alla parentela. La parentela, se l'affetto viene meno,
rimane tale. Nell'amicizia, invece, questo non può succedere.
Senza l'affetto, l'amicizia non è piú quel che è: perde il suo
nome. Nel racconto fantascientifico a fumetti *L'Eternauta*,
che impressionò tanti lettori per le risonanze con la storia e
il futuro dell'Argentina, in cui Buenos Aires e le sue grandi
avenidas vengono ricoperte di una neve silenziosa capace di
un potere terribile, non sono l'unione familiare e la parentela a rivestire un ruolo cruciale, ma l'amicizia. Per intraprendere la battaglia e sopravvivere, i protagonisti si accorgono
che devono avvicinarsi agli altri, devono rinsaldare quel legame cosí particolare. Nessun eroe solitario può salvare al-
cunché. A scrivere le parole di questi eroi maturi fu nel 1957
Héctor Germán Oesterheld, un ingegnere geologo dai saperi umanistici che venne poi fatto scomparire dalla dittatura
che governò l'Argentina dopo il colpo di stato del 24 marzo
del 1976. A disegnare gli uomini che cercano di resistere alla
paura e sopravvivere alla minaccia, a disegnare il viaggiatore dell'eternità, fu Francisco Solano López, che divenne un
amico fraterno di Oesterheld. Nella storia, il gruppo di amici che resiste all'attacco alieno risale proprio verso Avenida
del Libertador. La stessa strada che si percorre per andare
dalla villa Ocampo fino alla casa di Borges in Avenida General Las Heras, nel quartiere Palermo.

A un certo punto di quel viaggio notturno, Jorge Luis
chiese a Adolfo quali fossero gli autori che preferiva. Il piú

giovane dei due aveva letto molti libri, quasi quanti quelli letti dal piú maturo Borges. Mentre guidava e affrontava gli incroci, che a quel tempo erano ancora senza semafori, Bioy Casares cominciò a fare i nomi. Ne elencò di famosi e meno famosi. Parlò di James Joyce, Carl Gustav Jung, Gabriel Miró e Azorín. Scambiarono qualche idea sulla semplicità e sulla brevità delle frasi. Bioy Casares, per la timidezza, mentre guidava, non riusciva a terminare un'espressione per intero senza interrompersi, senza fermarsi a pensare un attimo, senza provare a intuire cosa passasse nella mente dell'altro. All'epoca Borges aveva già scritto alcuni libri e ricopriva un piccolo ruolo nella cerchia degli intellettuali di Buenos Aires. Bioy Casares, invece, aveva scritto dei testi che non erano un granché. Non erano stati neppure pubblicati. I due, però, erano già satelliti che giravano intorno al grande sole della letteratura. Nessuno dei due aveva ancora dato il meglio di sé, nessuno dei due aveva ancora scritto le parole giuste. Forse, però, tutti e due avevano già letto la storia del cinese che sogna di essere una farfalla e quando si sveglia non sa con certezza se si è semplicemente svegliato o se invece è una farfalla che in quel momento sta dormendo e sognando di essere un cinese che si è appena svegliato. Erano quei labirinti di storie che tanto li avrebbero attratti e che quella lunga notte cominciarono a renderli piú vicini.

Amistad. Amicizia. Il viaggio in macchina che innescò il legame. I due che, da quella notte in poi, rimasero legati per il resto della loro vita. Per sempre, o per quel tempo che viene concesso agli umani. Da quel breve viaggio, da quel primo filo tessuto di parole, sarebbero tornati piú volte a girare in macchina per la città. Quando si è amici accade quasi sempre cosí. Si ritorna a fare le stesse cose, quelle cose che si son fatte le prime volte. Di nuovo in macchina, di nuovo in giro per Buenos Aires. Tante volte ancora. Nel diario quasi senza fine, pieno di piccoli dettagli, in cui Bioy Casares annotava quello che condivideva giorno dopo giorno con Borges, alla data venerdí 22 luglio 1955, piú di venti anni dopo quel pri-

mo viaggio, scrisse che non facevano altro che attraversare
quartieri su quartieri in auto. In quel viaggio-replica, uno dei
tanti in cui l'amicizia persisteva cosí infittita di quotidianità, Borges era quasi spaesato davanti alla metropoli e alle sue
strade. Mentre scivolavano attraverso il corpo ampio delle
avenidas, ancora una volta si interrogava con l'amico ad alta
voce: «Che città, Buenos Aires. Non si sa che cosa si propone». E allora, cosa si propone un'amicizia?

Ai lati della strada i grandi tronchi degli alberi, piegati
verso il centro della via, quasi deformati. In alto, i loro rami che quasi si intrecciano e si confondono. Quelle foglie
lassú a quale albero appartengono? Le pagine scritte, di chi
sono? A un certo punto Borges e Bioy Casares cominciarono a scrivere i loro libri migliori. Trovarono il varco che li
condusse a pronunciare le parole piú precise ed evocative. E
ciascuno scrisse l'introduzione al libro dell'altro. Bioy Casares nel 1940 diede alle stampe *L'invenzione di Morel*, la piú
dolente storia d'amore che sia stata scritta. Nel 1941 Jorge
Luis ultimò *Il giardino dei sentieri che si biforcano* e cominciò
a creare le labirintiche storie in cui il tempo della vita assu-
me dimensioni abissali. Nel 1942 pubblicarono insieme *Sei
problemi per don Isidro Parodi*. L'autore fittizio prese il nome di Bustos Domecq. Erano i nomi dei bisnonni dell'uno
e dell'altro. Le parole che si intersecano. L'uno dell'altro.
Come gli alberi che crescono su Avenida del Libertador, le
amicizie, a un certo punto, innalzano i loro rami talmente in
alto, avvicinano le loro foglie e intrecciano le loro forme, la
loro linfa, al punto che diventa difficile distinguere le parole, i pensieri, e dire con certezza quali appartengano all'uno
e quali all'altro.

Barrio dopo barrio si avvicinavano alla casa di Borges. Alberi dalle forme meravigliose. Tipuana tipa e Jacaranda. L'e-
stuario del Río de la Plata e l'oceano. L'*avenida* che diventa
sempre piú ampia. Quattro corsie da un lato e quattro corsie dall'altro, poi si restringe e si fa meno ampia. Cosí anche
le amicizie. C'è il tempo in cui comprendono quasi tutto: le

colazioni, i pranzi, le cene, le sere, le confessioni, le letture e il lavoro. Tutto lo spazio che c'è. Bioy Casares sposò Silvina Ocampo, anche lei scrittrice, la sorella di Victoria, la donna della villa, quella che mise in moto ogni cosa. Per giorni e notti Jorge Luis e Adolfo si incontravano appena potevano, mangiavano insieme, scrivevano libri, lavoravano a un'infinità di opere, voci enciclopediche, idee di collane che non avrebbero mai visto la luce. Lo scambio delle parole. L'idea e l'energia. Poi la strada si restringe, si fa piú piccola. Come le amicizie. C'è il tempo in cui comprende solo qualcosa, una telefonata, una lettera, un pensiero. Il tempo che si consuma, che allunga il passo, la strada che diventa veloce e si fa fatica a percorrerla. Quando Jorge Luis Borges si trasferí in Svizzera, le telefonate tra i due amici diventarono rare. Qualche parola. Sapevano che non si sarebbero piú incontrati e che non avrebbero piú attraversato, a bordo di un'autovettura con i finestrini aperti, le *avenidas* porteñe.

Il grande incrocio e le giravolte intorno ad Avenida General Paz. Sulla sinistra, verso la costa, corre Avenida Leopoldo Lugones. L'Espacio Memoria y Derechos Humanos vicinissimo alla Comisión Nacional de Energía Atómica. La strada diventa di nuovo a otto corsie. Il barrio Núñez. Lo Chateau Libertador, una torre di quaranta piani di fronte al Tiro Federal. I supermercati Coto con le *ofertas semanales: leche entera, naranja jugo, queso rallado*. Il grande edificio della compagnia di assicurazioni QBE Seguros La Buenos Aires. Il barrio Palermo. L'Ippodromo Argentino. Sulla sinistra, El Rosedal. El Paseo de Rosedal. I ventisei busti di scrittori e poeti. Il giardino degli uomini che credono nella forza della poesia. Dante. Shakespeare. Ci sono Antonio Machado e Federico García Lorca. C'è anche Borges.

Sabato 14 giugno 1986. Ancora le strade di Buenos Aires. Adolfo, mentre passeggia, incontra un giovane studioso. Quello gli dice che è un giorno triste. Adolfo rimane silenzioso, non capisce. Non sa, non ha saputo nulla. L'altro, allora, gli ripete la frase. E quando Adolfo gli chiede perché, il giovane gli spiega che Borges è morto. Allora Adolfo riprende a camminare. Passa per il chiosco. È all'incrocio tra Avenida Callao e Avenida Quintana. Sente che quelli sono i primi passi che compie nel mondo senza Jorge Luis. I primi passi senza l'amico. Anche se aveva perso l'abitudine di vederlo, era ancora vivo l'istinto che ogni volta gli faceva pensare: «Questa gliela devo raccontare. Questa gli piacerà. Questa gli sembrerà una fesseria».

Allora si passa per Plaza Intendente Seeber e il Jardín Japonés. Il Museo Nacional de Bellas Artes. Si gira verso Calle Agüero. Il grande e improvviso silenzio delle piccole stradine interrotto solo dal rumore leggero dei passi di qualcuno che corre. Due amici in tuta, uno avanti e l'altro dietro. Si sente che parlano, discutono di qualcosa. Ma non si fa in tempo a capire intorno a quale pianeta girano i loro satelliti, le loro parole, i loro sogni. Si gira a sinistra e si imbocca Avenida General Las Heras. I grandi platani. Cosí, come all'inizio del viaggio. Come in un giro. I negozi di lavaggio a secco. Le moto Guzzi nere parcheggiate sul marciapiede. Gli uffici delle agenzie immobiliari, i piccoli supermercati. Una donna stringe in braccio un bambino. Un anziano fermo a guardarli. Ecco, ora non manca altro che girare leggermente a destra e fermarsi. Ecco l'edificio, ecco la casa al sesto piano dove abita Jorge Luis. L'amico può scendere. Il varco sotto cui ci chiniamo è stato appena superato. Ora, davanti, c'è tutto il tempo di una vita.

Prime personalissime forme di una battaglia

Ci sono passaggi in cui si intuisce, con umana vulnerabilità, che tutto quel che si pensava d'avere, non lo si potrà avere per sempre. In cui si scopre, con stupore e incertezza, che quel che si pensava sarebbe rimasto immutato comincerà a scivolare verso il disordine e nulla potrà essere come prima.

Anna Maria Ortese crebbe tra Potenza, un paese di «neve e pena», e la Libia, quella terra che l'Italia a lungo martoriò, come colonia, nel tronfio atteggiarsi a potenza militare. La famiglia Ortese, in quella terra d'Africa, ci rimase per cinque o sei anni. Il padre, un dipendente del governo italiano, come tanti altri si era fatto mandare a Tripoli per cambiare aria, ma anche per guadagnare un po' di piú. Quel denaro gli serviva per tutti i figli che erano venuti fuori, cosí come succedeva a molte famiglie dell'epoca che si misuravano con la fame, la miseria, l'amore, l'ignoranza e gli slanci vitali. In tutto, quei figli, erano sei. E Anna Maria, piccola, fragile e bellissima, era la penultima. Il padre si chiamava Oreste, curioso anagramma del proprio cognome. Era irrequieto e sognatore, un uomo giovane dai capelli color bronzo chiaro, ricci e lucidi, e con gli occhi azzurri, cosí come piacevano tanto ad Anna Maria. Dopo aver abitato per qualche tempo in città, gli Ortese si trasferirono in una casa distante quasi cinquanta chilometri da Tripoli. Una casa che come in una storia immaginifica, una di quelle che poi Anna Maria avrebbe scritto, si costruirono da soli, procurandosi le pietre in una cava non molto distante dall'abitazione che intanto veniva su. Poi, però, come qualcuno raccontò ad Anna Maria, nella cava finirono quei massi calcarei. E la casa non venne mai ultimata.

C'erano gli scorpioni, i topi e gli scarafaggi. Era cosí, l'Africa di quella dimora senza tetto. Ma c'erano anche il mercato dei tappeti, le piante rampicanti, la striscia silenziosa di mare vicino alla casa e le barche tirate a secco. La città quasi vuota. Il molo. Le passeggiate nel deserto, qualche domenica su un camion con i ragazzi che scherzavano. Le sere nelle strade con i lumi a petrolio dietro le finestre. Le notti profonde. I silenzi.

Laggiú Anna Maria apprese qualcosa che poi non avrebbe mai piú ritrovato: la confidenza con gli spazi aperti. Negli anni a venire, quando divenne scrittrice errabonda in un'Italia che la tenne ai margini, che la dimenticò molto presto dopo i primi successi, prima ancora che la riscoprisse nella sua maturità estenuata ma ancora capace di un'infinita compassionevole umanità, in tutto quel tempo di mezzo soffrí sempre per il poco spazio, per le piccole case, per le stanze rumorose, per la ristrettezza. Là in Africa, quando ancora era piccola, fragile e bellissima, Anna Maria Ortese aveva imparato a stare dentro la natura. Su quella sponda, da cui oggi partono migliaia di africani che da ogni parte del continente, da Agadez, da Addis Abeba, da Bamako, attraversano il deserto e raggiungono Tripoli per approdare poi a Lampedusa, aveva preso confidenza con quel che c'è di piú ampio. Aveva appreso il modo di lasciar germogliare dentro di sé l'amore disarmante per ogni singola, fragile, forma di vita che ricorre e riempie ogni suo libro, che illumina e vivifica tutte le parole che ha avuto modo di pronunciare e scrivere.

Dell'Africa disse che lí «il tempo non passava». Cosí scrisse in una lettera a Massimo Bontempelli il 12 agosto 1936. In Africa, in quelle terre remote, era assorbita dalla contemplazione del mondo, che le appariva «minaccioso e incomprensibile». A Dacia Maraini, che le chiese dell'infanzia in Africa, confessò che viveva come un gatto, che era una creatura inesistente. Le disse che laggiú, in Africa, non aveva alcun nome. In Africa, in quegli spazi infiniti, viveva come una pianta.

Poi il viaggio. Il gesto, il movimento, quell'urgenza che induce, definisce, impone il cambiamento. Che si imprime nel fondo della memoria come il cedimento della fortezza del tempo immobile. La partenza non fu un pensiero, un programma, una decisione che il padre prese con la stessa repentina volontà delle altre volte. Questa volta, invece, arrivò l'ordine nella forma di un telegramma che lo richiamava d'ufficio in Italia. La notte prima era morta la nonna materna. Il tempo, non visto, avvisava che avrebbe cominciato a passare. Come si comincia a sentire l'odore di una pioggia lontanissima, prima ancora che il palmo di una mano venga bagnato da una singola goccia, di quel trascorrere si cominciò a sentire il rumore. Il padre accolse la notizia, in quel preciso momento, come un sollievo, una liberazione, e lo fu anche per lei e per i suoi fratelli. Solo la madre sembrava volesse rimanere in quella terra dove lei aveva appena perduto il filo della sua infanzia.

Il mattino successivo arrivarono al porto di Tripoli. Il lungomare Conte Volpi, il teatro Miramare, le palme, una dietro l'altra, a riempire l'orizzonte. Anna Maria Ortese si ritrovò di nuovo sul mare. Piccola, fragile, bellissima. Il piroscafo, il *Città di Tripoli* della Tirrenia, era lo stesso che per lungo tempo aveva tenuto unite Napoli e quella città che ora doveva abbandonare. A chi le chiedeva, piú tardi, che anno fosse, lei indicava quasi sempre date diverse. Una volta il 1930. Un'altra il 1928. Forse non ricordava con precisione neppure l'anno in cui era arrivata in Africa. Allora, nel tempo dell'infanzia, gli anni, le date, il dissiparsi dei giorni del calendario non esistevano. Quando lasciò la costa, quando si staccò con il fumaiolo centrale da dove sbuffava il vapore, il profilo magro e lungo, il piroscafo non superava i tredici nodi. Anna Maria non volle andare all'interno, rinunciò a visitare

le sale, non ci tenne a sedersi al riparo dal vento. Tutt'altro.
Irrequieta, fragile e bellissima, rimase quasi tutto il tempo
fuori a osservare prima da poppa e poi da prua. Ci volle tutto il giorno per attraversare il Mediterraneo. Il mare doveva
essere calmo e sereno. Gli occhi non cercavano l'orizzonte,
non guardavano verso la meta, e non si perdevano neppure
all'inseguimento delle coste dell'Africa, ormai sul punto di
scomparire. Qualcosa, però, la sorprendeva e la stupiva piú
di tutto il resto. Proprio lí, sulla linea di galleggiamento, dove la prora s'apre la strada, avanza e scalfisce la superficie
del mare. Già osservava, già si perdeva. Già si appartava e
cominciava a sentire piú da vicino ciò che accadeva. Vide
l'acqua azzurra solcata dalla nave, l'acqua azzurra che, pur
non essendo la stessa di poco prima, si presentava identica. Il
medesimo luogo, pensò, non vuol dire stesso tempo e stessa
situazione. Quel muoversi delle onde, quella mutevolezza,
quell'irreversibilità, fu per lei l'apparizione di «un'ombra».
   Piú avanzavano in quel viaggio cosí straordinario, piú le
sembrava di andare verso uno spazio piú racchiuso, circoscritto. A mano a mano che si procedeva, avrebbe poi scritto, cercando di recuperare quei ricordi d'infanzia, l'acqua dietro la
nave «diventava grande, grande, cresceva», mentre davanti
a loro sembrava che tutto si rimpicciolisse. «Di dietro la vastità era inenarrabile, profonda; davanti il cielo si abbassava
e stringeva come un imbuto». I luoghi e gli spazi in cui si era
trovata fino ad allora, quando il tempo ancora non esisteva,
visti da lontano, mentre li abbandonava, le apparivano come
un infinito che si espandeva. Il futuro, invece, si presentava
come racchiuso in un pugno. Ora tutta la famiglia guardava
avanti. Tutti quanti silenziosi.
   Di notte s'alzò il maestrale. Al mattino, forse, Anna Maria fece in tempo a intravedere il profilo di Malta. La nave,
seppure si muovesse a una velocità tutt'altro che rapida, in
quei momenti in cui il mondo di prima, quello spazio infinito, era scomparso alle sue spalle al di là dei giorni che vanno
perduti, le appariva come se corresse a gran rapidità. Il viag-

gio, come un ordigno, aveva messo in moto ogni cosa. Anna Maria rimase «sempre a guardare lo stesso mare», anche se «il luogo di ieri era irrevocabilmente sparito». Nel primo pomeriggio passarono Capo Passero, il castello Tafuri, la tonnara. La chiesa in calce e arena. Ora, vicinissime, cominciavano a sfilare le coste irsute dell'Italia. Ma tutto quello che era accaduto in Africa? Tutto quello che aveva vissuto? Le cose passavano. Ma se il tempo si consumava, allora, si chiedeva Anna Maria, che ne era delle forme espresse da ogni tempo?

Nella notte, il piroscafo si avvicinò a Messina. Poi l'alba. L'isola le parve ingiallita. Alle dieci lo Stromboli. Poi l'arrivo a Napoli. Niente piú spazi, niente piú deserto e silenzi. Niente piú natura. La città era molto antica, «col mare blu e il porto pieno di petroliere rosse». Lei, che fino ad allora era stata un animale, un vegetale, una persona che non aveva neppure un nome, mentre il piroscafo entrava nel porto di Napoli, dopo quel viaggio, dopo quella rivelazione cosí chiara che le venne dalla mutevolezza del mare, cominciò a prepararsi a ciò che l'aspettava. Il mondo lacero e spaventoso che, ai suoi occhi unici e inarrivabili, sarebbe stata Napoli, sarebbe stato ora l'universo con cui si sarebbe dovuta misurare. L'ordigno aveva messo in moto ogni cosa. Il tempo cominciava a trascorrere, si intravedeva un'intera umanità con cui confrontarsi. La vita, pensava, sarebbe stata un abisso e una perdita, ma ciò non toglieva che doveva battersi. Qualche anno dopo, grazie alle originali e personalissime battaglie di quella ragazzina fragile, piccola e bellissima, il mare smise di bagnare Napoli.

Quel fiore tra le mani

Forse già allora era un'illusione, attraversare quasi l'intero mondo, imbarcarsi su un piroscafo e inoltrarsi tra gli oceani per risalire fino alla vertigine dell'arcaico. Forse già allora era un'illusione pensare che in uno spicchio abitato di questa Terra si potesse ancora avere accesso, viaggiando per un numero infinito di giorni, al rovescio di mondo rimasto intoccato. Pensare che fosse possibile, per di piú indossando gli abiti di un parigino, avvicinarsi e sfiorare una porzione di vita non ancora aggredita, colonizzata, artefatta, un antro che avesse avuto la ventura di seguire un corso diverso da quel che si conosce da vicino. Forse già allora era un'illusione sperare che fosse ancora possibile, per chi apparteneva ai popoli che hanno portato la polvere da sparo e le infezioni, per chi in fondo era un colono e un cittadino, spogliarsi di ogni cosa e toccare la natura, come un Robinson Crusoe. Come neppure Robinson Crusoe poté fare. Un'illusione, attraversare quasi l'intero mondo per domandarsi davvero cosa si debba fare di questa insondabile esistenza, maestosa e assurda.

Una discesa o un precipizio. Una scoperta o una risalita verso la meraviglia arcaica e impensabile. Quel che forse già allora era solo un'illusione, spinse Paul Gauguin a partire da Marsiglia il 1° aprile 1891. Forse per lui, nel momento della vita in cui era giunto, quello si presentò, quasi paradossalmente, come l'unico modo concepibile di prendere di petto l'interrogativo che smuove e scuote il vivere d'ognuno. In una lettera scritta nel novembre del 1889 all'amico pittore Émile Bernard, confessava che di tutti gli sforzi di quell'anno gli restavano soltanto «gli ululati di Parigi», che lo raggiungevano fin dove era fuggito solo per scoraggiarlo. Tanto che non osava piú dipingere e se ne rimaneva a camminare in compagnia della «brezza del Nord» sulla costa del Finistère, in Bretagna, sulle spiagge di Le Pouldu. Iniziava qualche studio, ma era solo una specie d'inerzia, l'animo era «altrove, a guardare con cupezza il vuoto» che si spalancava davanti. A cercar di capire cosa dovesse fare di questa insondabile esistenza, maestosa e assurda. Gauguin aveva deciso. Forse era stato Van Gogh a parlargli di quella destinazione. Era stato lui, il pittore che si era appartato in una maniera assoluta pur rimanendo nel cuore dell'Europa, che si era rifugiato nell'antro estremo della sua anima burrascosa, forse era stato quel suo alter ego a suggerirgli di risalire verso il cielo dell'arcaico, ma di fatto solo Gauguin provò a capire se quel che aveva immaginato fosse possibile da compiere. Aveva deciso che non poteva piú eludere la partenza. Quel viaggio, e ciò che venne dopo, lo travolsero, anche se non fu come se lo aspettava. D'altronde non c'è mai cosa che accada, che avvenga, nel modo in cui ce la siamo prefigurata.

Quando salí sul piroscafo *Océanien* delle Messageries maritimes, la compagnia marittima a cui tanto doveva l'ascesa dell'impero coloniale francese, Gauguin aveva con sé una lettera ufficiale di raccomandazione per il governatore francese a Tahiti. Grazie al suo amico Ernest Renan era riuscito a ottenere, per quel viaggio, l'avallo del ministero dell'Istruzione e della Cultura. La sua pulsione verso l'arte primitiva, l'urgente bisogno covato a lungo, la disperazione, l'anelito a un profondo e radicale cambiamento, avevano il grande e ufficiale ombrello di un'istituzione francese. Gli sarebbe servito nell'altro rovescio di mondo?

Il *paquebot*, il piroscafo, era lungo circa centotrenta metri e largo poco piú di dodici. Tre alberi per le vele. Affusolato, portava novanta passeggeri in prima classe, quarantaquattro in seconda e settantacinque in terza. Era spazioso e, per il tempo, per quella fine di secolo, arredato in maniera moderna. Gauguin aveva scelto la seconda classe. Pur di partire era arrivato al punto di vendere, al prezzo che è facile immaginare gli imposero gli acquirenti, fino a trenta pitture. Nei mesi precedenti aveva detto a Jules Huret, il giornalista che era andato a intervistarlo, che partiva per starsene tranquillo, per riuscire a liberarsi dalla civiltà. Sarebbe mai stato possibile? E cosa intendeva con civiltà? Mentre saliva le scalette, con lo sguardo si fermò a guardare le scialuppe agganciate in alto. Non aveva timore, ma non sapeva quanto sarebbe durato il viaggio. Troppe erano le incertezze che aveva davanti a sé.

Anche in quel viaggio, come in molti altri viaggi, il mondo cominciò a sfilare lungo i fianchi del piroscafo. Imperi e colonie. Potere e conquiste. Il mar Tirreno, le coste africane, l'Egitto allora sottomesso a Londra. La costa, che in quel punto andava lentamente divenendo bassa, si fece avanti. Il faro in lontananza, i moli frangiflutti e la statua di Ferdinand de Lesseps. Il 7 aprile, quando Gauguin arrivò a Port Said, mentre la nave faceva sosta al Canale di Suez, acquistò diverse cartoline con le copie di alcune pitture. Gli accadeva spesso. In una c'era Maria con quel suo bimbo cosí straordinario in una posa che lo colpí a fondo. In quei giorni Gauguin aveva baffi folti e capelli lunghi. Era stato marinaio, e si vedeva. Molto tempo prima, ventisei anni prima, il 7 dicembre del 1865 si era imbarcato come allievo ufficiale su un mercantile che viaggiava da Le Havre a Rio de Janeiro. Aveva già attraversato quasi l'intero mondo. Allora, però, non stava cercando quello di cui aveva bisogno in questo viaggio. Allora, non era ancora arrivato al punto in cui si vuole davvero capire.

Il piroscafo procedeva a una velocità di quindici nodi. Le caldaie a carbone, il respiro del mare che soffiava. Ci si muoveva con la lentezza di un coccodrillo sotto il sole. L'11 aprile il *paquebot* fece scalo ad Aden d'Arabia. Qualche giorno ancora. L'attesa che si dilatava. In che modo il procedere del viaggio, l'idea di quel che avrebbe trovato, andava mutando dentro di lui? Sarebbero riusciti, mentre il piroscafo faceva rotta verso l'arcipelago delle Seychelles, verso Mahé, l'isola piú grande, l'isola dell'abbondanza, ad arrivare fin lí gli ululati di Parigi? Anche Mahé era divenuta una colonia inglese, dopo essere stata francese fino al 1814. Il selvatico e il potere. Le civiltà e le armi. I popoli che scompaiono e quelli che sopravvivono. Gauguin sembrava quasi un uomo perduto nel mezzo del guado. Un francese, che da parte materna aveva sangue del Perú, terra di conquiste e distruzioni, fuggiva verso un'isola, anch'essa colonia francese, per cercare quel che i coloni, sperava, avessero risparmiato. Quale succo sarebbe riuscito a bere? Quello incontaminato o quello che la Francia e la Chiesa mescolavano e mescevano? Quali colori avrebbe trovato per i suoi quadri, gli unici inesorabili specchi dei moti del suo animo?

Gauguin, il Giano bifronte che combatteva contro se stesso e contro il tempo, nella lettera scritta all'amico, confidente e ricchissimo pittore George-Daniel de Monfreid poco prima di arrivare a Mahé confessò le sue preoccupazioni piú materiali. I collegamenti erano molto irregolari. Le permanenze nei porti, imprevedibili. Lunghe, le attese per i rifornimenti. Il viaggio sarebbe potuto durare tre mesi, ma anche il doppio. Ci sarebbero voluti altri cinquecento franchi. L'amico, probabilmente, lo avrebbe aiutato ancora. Il viaggio di Gauguin, ad ogni modo, non si stava rivelando particolarmente scomodo. Al contrario. Tanto che arrivò a dire all'amico di «aver sbagliato a scegliere la seconda classe, la terza è quasi buona quanto la seconda e mi avrebbe fatto risparmiare 500 franchi». Dallo spazio remoto in cui si era inoltrato, trovò il tempo di chiedere all'amico un'ultima cosa: «Bacia Juliette per me con tutto il tuo cuore». Un ultimo pensiero per la giovane amante abbandonata a Parigi.

L'intero aprile trascorse mentre il piroscafo attraversava l'Oceano Indiano. Il Madagascar, Réunion, Mauritius. Le isole come tappe di avvicinamento. La loro natura. L'appa-

rente intoccata vitalità. La lentezza del piroscafo. Il tempo
intessuto della distesa del mare. Le pochissime parole scambiate con gli altri passeggeri. Appena buongiorno e poco piú.
Non solo perché dei funzionari delle colonie e delle loro famiglie non aveva, in quel primo andare, una considerazione
e una stima particolari, ma anche perché di nulla sembrava
curioso. Un saluto e poco piú, nonostante tutto quel tempo
lunghissimo. Una completa solitudine.

Il viaggio in mare, lungo, estremo, continuo, sembrò avere
un effetto calmante su di lui. In parte stava cercando anche
una nuova tranquillità. Mentre viaggiava su quel mare cosí
conteso, sognava di vedere solo selvaggi e di vivere la loro
vita, senz'altra preoccupazione che tradurre con la semplicità
di un bambino le fantasie della mente. Ogni giorno, per lui,
era un giorno di attesa, pieno di impazienti sogni, la brama
quasi febbricitante di vedere una nuova terra, di avvistare
un luogo in cui specchiarsi e trasformarsi.

Il tempo continuava a passare. Nulla rimaneva uguale a
prima. Mai riusciamo a essere ancora quelli che siamo stati. I capelli erano cresciuti e gli arrivavano ampiamente alle
spalle. Il piroscafo aveva raggiunto l'Australia. Gli scali ad
Adelaide, Melbourne e poi Sydney. L'idea, per Gauguin,
che non fossero altro che copie banali di agglomerati urbani
britannici. Dopo oltre quaranta giorni di viaggio in mare, il
12 maggio il piroscafo infine approdò a Nouméa, nella Nuova Caledonia. A quasi diciassettemila chilometri da Parigi.

Anche qui, dall'altra parte di mondo, c'era una colonia francese. Terra di conquiste. La popolazione indigena
melanesiana, la comunità Kanak sotto il dominio dei francesi. L'Oceania d'oltremare francese. Anche le parole per
nominarla tradivano ciò che stava diventando. Tutto quel
viaggio, in fondo, non era altro che una somma di rotte
coloniali. Egli stesso, il viaggio stesso, erano divenuti un
paradosso: cercare l'arcaico seguendo le piste di chi lo aveva distrutto. E cosí andò incontro al Mar dei Coralli, alla
baia dei cedri, alle araucaria, alle palme di noci di cocco e

ai maestosi alberi del fuoco con quella fioritura cosí accesa tra il rosso e l'arancio.

Il mondo però non finisce mai. Cosí, dopo Nouméa, si imbarcò ancora. Grazie allo status di viaggiatore in missione culturale per conto del ministero, gli venne garantita la possibilità di imbarcarsi sulla nave da guerra *La Vire*. Sarebbe partita il 21 maggio. Dovette aspettare ancora. Poi di nuovo in viaggio. Questa volta la nave era stracolma. In quello spazio stretto c'erano una quarantina di uomini tra soldati e ufficiali. C'era anche una ragazza tahitiana. Ci vollero altri diciotto giorni di mare. Quando si avvicina la meta, il viaggio, per una qualche ragione che ha a che fare con i meandri del pensiero, dell'attesa e della sopportazione, diventa sempre piú faticoso. Piú ci si avvicina, piú ogni passo costa uno sforzo sovrumano. Anche il viaggiatore porta dentro di sé una parte di maratoneta. L'ultimo tratto di ogni viaggio è sempre il piú complesso, il piú lungo, anche quando è il piú breve.

Poi l'8 giugno, durante la notte, dopo mesi di abbandono, silenzi e immaginazioni, intravide degli strani fuochi muoversi a zig-zag. La rotta della nave aggirò Moorea e infine avvistò la terra a cui anelava: Tahiti. Diverse ore dopo apparve l'alba, la nave passò attraverso la barriera corallina ed entrò nel canale. Poi ancorò. A Papeete Gauguin rimase solo un giorno. Quel che aveva trovato era inservibile alle sue necessità. Fosse stato anche solo un'illusione, un inganno, una chimera, il suo viaggio; se per inoltrarsi in quello spazio arcaico dove avrebbe potuto affrontare il quesito da cui scaturiva la sua irrequietezza doveva procedere ancora un passo piú in là, quel passo in piú lo avrebbe compiuto senza alcuna titubanza.

Doveva andare piú dentro, piú lontano. Liberarsi di quelle tracce coloniali. La mattina si sistemò su una carrozza che un ufficiale aveva fatto preparare per lui. Lo accompagnò Titi, una donna di sangue misto inglese e tahitiano. Lei parlava appena qualche parola di francese. Il suo cappello di canne era decorato con un nastro, fiori e conchiglie color arancio.

I lunghi capelli neri le cadevano sciolti sulle spalle. In lei c'era già tutto quello che lui stava per abbandonare e tutto quello che stava per trovare. Sulla destra il mare, la barriera corallina e gli spruzzi di vapore acqueo delle onde che si infrangevano contro le rocce. Sulla sinistra la selvatichezza e grandi foreste.

Arrivarono al villaggio a mezzogiorno, dopo aver condiviso quarantacinque chilometri, piccole frasi e silenzi. Lí, in una radura, Gauguin trovò la capanna dove sistemarsi. Tra sé e il cielo, solo le foglie di pandano a forma di spada, dove le lucertole facevano il nido. La prima notte, in quel silenzio, non sentí altro che il battito del proprio cuore. Era, come aveva desiderato a lungo, «lontano, molto lontano, dalle prigioni che sono le case europee».

Venne cosí quello che lui considerava l'arcaico mondo, la vita di ogni giorno vissuta con la giovanissima Teha'amana. Rileggendo il libro che Gauguin redasse con attenzione e cura negli anni successivi, rileggendo le lettere scritte da laggiú a chi non aveva avuto la sua stessa esigenza o il suo coraggio, nonostante i racconti, rimane la sensazione che i suoi pensieri di quei giorni, di quella immersione in un mondo inconosciuto, restino inconfessati e per sempre chiusi nella sua mente. Vertiginosi e muti. L'unica immagine, arrivata fino a noi, che si dice lo ritragga in quel mondo, mostra un volto esterrefatto, allucinato. Rimane la sensazione che quel che ha veduto, pensato, quel che lo ha mutato, sia in qualche modo un patrimonio non condivisibile. Qualcosa che appartiene solo a lui che ha compiuto l'impresa.

All'inizio del 1892 venne portato in ospedale e a giugno era cosí povero che chiese alle autorità francesi di essere rimpatriato. Quando ripartí per la Francia nel giugno del 1893, facendo il viaggio all'inverso, portò con sé numerose sculture e sessantasei pitture. Tra queste c'erano *Donna con fiore* (*Vahine no te tiare*) e *Donna con mango*. Poi partí di nuovo, e a spingerlo fu come una disperazione, un'illusione. Di nuovo in quell'antro di mondo dove finí di vivere molto presto. La-

sciò ancora tanti quadri. Tra questi c'era *Da dove veniamo?*
Che cosa siamo? Dove andiamo? Il dipinto con gli alberi blu
e l'uomo, proprio al centro del quadro, quasi di un colore lu-
minoso e solare, che prova a raccogliere un frutto.

In un testo ritenuto opera di Samuel Taylor Coleridge un
uomo si addormenta e nel sogno sale fino al cielo, dove riesce
a cogliere un «mirabile fiore». Coleridge, per chiudere quel
pensiero, per compiere un balzo, si chiede: «E se al risveglio
quel fiore fosse fra le tue mani?» Il viaggio di Gauguin verso l'arcaico era stato solo un'illusione? Era stato un sogno?
Di quel che aveva vissuto laggiú, disse che per la prima volta nella vita era riuscito a toccare ciò che aveva sempre cercato: il colore come «il linguaggio dell'occhio che ascolta».
Lí raggiunse la capacità di «dare la sensazione musicale che
fluisce dal colore, dalla sua propria natura, dalla sua interna,
misteriosa ed enigmatica forza».

Quel mondo in cui si era rifugiato era sull'orlo della dis-
solvenza, una stella che emanava le ultime luci, un sogno che
stava per svanire. Di quell'illusione, di quel sogno, ora, davanti agli occhi di ciascuno di noi, ci sono quei quadri che, come
nel caso dell'uomo che si addormenta e sogna di salire in cielo, somigliano ai fiori che al risveglio ci si ritrova tra le mani.

Senza cadere dal filo della curiosità

La ripetizione e la semplicità. I passi del cammino e il giro della musica. Sfuggente e inafferrabile. Un funambolo che cammina sul filo della propria eccentrica leggerezza, consapevole di avere sotto di sé l'abisso del vuoto. Solitario nel profondo, abitatore di una casa ad angolo in cui forse nessuno è mai entrato. Erik Satie andò a vivere ad Arcueil dopo anni di difficoltà economiche, dopo che le stanze di Parigi, a Montmartre, quelle che poteva permettersi e in cui si spostava a mano a mano che le sue condizioni economiche peggioravano, erano divenute sempre piú piccole, al punto che anche il pianoforte si era trasformato in un ingombro, in un oggetto incongruo: una nave dentro una casa. Alla fine si sistemò in una stanza al secondo piano di Rue Cauchy 22, alla periferia di quella grande metropoli.

Cosí cominciarono le sue camminate. Cominciarono quando nel 1889 – un anno che sembra impossibile, se si pensa a un tipo come lui, cosí moderno che lo si direbbe nato nel 2889, in un tempo che deve ancora venire – prese ad allontanarsi proprio dal luogo che conosceva meglio, dalla città che amava di piú, dalle persone di cui aveva, senza che si sapesse troppo in giro, il piú disperato bisogno. Non poteva farne a meno, di quei viaggi quotidiani, ripetuti, costanti, zigzaganti, nati da un'esigenza intima e profonda, che lo spingevano a tornare nel luogo piú caro, e che lo avrebbero sfiorato, toccato, mutato, come forse neppure lui avrebbe potuto prevedere, come il filo finisce per mutare la vita al funambolo, per diventare la misura della vita di chi cammina sulla corda tesa sopra la leggerezza dell'aria.

Ogni giorno, ogni mattino, ogni sera, ogni notte, ogni alba, percorreva a piedi oltre dieci chilometri per raggiungere Parigi. Poi tornava indietro. Fatte le scalette e uscito dallo stretto arco del portone, la prima tappa di quel suo andare da funambolo era Chez Tulard, un caffè non lontano dalla sua stanza al secondo piano. Verso le undici del mattino lí scriveva alcune note, cominciava ad appuntare i primi pensieri di musica. Beveva, fumava. Parlava con qualcuno al tavolino accanto. «Fumi, amico mio, – venne ritrovato scritto in uno dei suoi preziosi foglietti di carta. – Se no, un altro fumerà al suo posto». La curiosità incessante. Il senso dell'umorismo che non lo lasciava quasi mai. La leggerezza, il passo sul filo. Solo allora, solo dopo aver toccato quella prima tappa, proseguiva verso Parigi.

Preferiva le giornate grigie, senza sole, con appena un po' di luce opalescente. Odiava il sole. Molto meglio la pioggia. Ne doveva amare il ritmo, ne doveva intuire, meglio di chiunque altro, la segreta armonia. Della melodia, diceva che era l'Idea, il contorno, nonché la forma e la materia di un'opera. Ma era l'armonia, invece, il modo di illuminare, di presentare il soggetto, il suo riflesso. La pioggia, l'armonia che illuminava le sue idee. Gli ombrelli che portava con sé, i piccoli strumenti di difesa da equilibrista.

Tagliava quasi tutta Parigi da sud verso nord, in quei giorni di povertà e miseria. Giorni in cui accompagnava Paulette Darty e Vincent Hyspa alle loro serate. Componeva per loro qualche canzone: *Je te veux*, *Valses chantées*, *Diva de l'Empire* o *Chez le docteur*. Melodie leggere. Parole semplici. Qualcosa che gli facesse guadagnare da vivere. Dieci chilometri all'andata. Dieci chilometri al ritorno. Lui che della musica era un precursore, che cercava di anticipare ciò che sarebbe venuto dopo, in una specie di paradosso si trovava a scrivere quelle canzonette. Quotidianità e modernità. Non si sa se fosse a

causa dell'indigenza a cui era costretto in quegli anni, o se
invece dipendesse davvero dall'antipatia che lui dichiarava,
ma non usava mai il telefono né la metropolitana. Quasi che
non potesse esserci nulla di piú innovativo del proprio cuore.

Da sud a nord. Ogni giorno tutta Parigi. Prima incontrava
le case dell'arrondissement des Gobelins, poi il Pantheon, i
giardini del Lussemburgo e ancora le vie dell'arrondissement
du Palais Bourbon. L'Hôtel des Invalides e la Tour Eiffel.
Camminava lentamente, a piccoli passi, con l'ombrello sotto
il braccio se non pioveva o aperto se scendeva qualche goccia
dal cielo. Piccoli passi. L'abito viola di velluto, uno dei sette
che aveva e che cambiava ogni giorno. Uno uguale all'altro.
Nel suo memoriale di un amnesico, paradosso singolare in cui
sono presenti i ricordi di chi non ricorda, confessa che sin da
subito si era considerato un fonometrografo e che le proprie
opere erano pura fonometria. E del suono parlava quasi come del passo, giocando sempre con la serietà, la leggerezza e
l'abisso sotto di lui: «A me piace di piú misurare un suono,
che ascoltarlo». Come un passo dietro l'altro.

Passava sul Pont de l'Alma, sulla Senna, passava l'Arc
de Triomphe, e puntava la casa di Debussy, al numero 58 di
Rue Cardinet, nel diciassettesimo arrondissement. Batignolles-
Monceau. Andava verso quel musicista a cui era legato da
una profonda amicizia, un musicista che aveva sempre am-
mirato da vicino, tanto da poter dire di avere assistito «allo
schiudersi dell'uovo Debussy da una poltrona in prima fila».
Un musicista a cui guardava già da un altro tempo, come se
lo guardasse dal futuro. Se ne era andato lontano anche per
quello, per non farsi contagiare troppo. Ma ritornava sempre
da lui. Per l'affetto e la stima che provava, per il bisogno del
confronto che cova dentro l'animo di ogni artista. Per la necessità di una misura altra da sé che alberga dentro l'incertezza estrema di chiunque provi a creare qualcosa.

Tutti quei passi non potevano lasciarlo immutato. Quel
modo di andare. Quella ripetizione continua. Un passo dopo
l'altro. Emergeva dalla sua stanza misteriosa, che dopo ven-

ticinque anni si mostrò a tutti come la cambusa di un marinaio, la disordinata caverna di un uomo astrale, la soffitta di
un volatile, piena di foglietti colmi di parole particolarissime,
di un'infinita collezione di ombrelli, di tanti disegni preziosi
e incantevoli; se ne usciva ogni mattina da quella abitazione, da quella porta, come una nuova melodia, senza nulla di
stantio o di spiegazzato addosso, se ne usciva come una canzone nuova, mai ascoltata prima, e lasciava che l'intera Parigi lo impressionasse. Un po' come faceva negli stessi anni,
alle albe di quei giorni, Eugène Atget, che se ne andava in
giro a fotografare le vuote strade di Parigi e finiva anche lui
per diventare quelle pareti verticali, quei silenzi, quelle vie
mute, quel paradiso intoccato.

Ogni tanto si fermava, piegava un poco un ginocchio, con
la stessa attenzione del funambolo che, la corda tesa sotto
di sé, sente la gravità intenta ad attrarre la figurina umana e
leggera che cerca di essere qualcosa di diverso, inafferrabile e irraggiungibile. Quando si ascolta la sua composizione
piú nota, la *Gymnopédie n. 1*, si rimane incantati dalla ripetizione, dalla circolarità con cui la musica gira intorno. Dalla
leggerezza delle note, dalla progressione lenta degli accordi.

Piú proseguiva con le camminate tra i due poli della sua
vita, piú la lentezza lieve delle *Gymnopédies* scompariva dalle sue composizioni. Come se il passo, il camminare, il battito del cuore, l'essersi issato lassú sul filo della sua personale solitudine avessero mutato per sempre l'idea della musica
che ora batteva, palpitava e gli usciva dal corpo in maniera
diversa. Un passo dietro l'altro, lento e leggero. La musica,
l'ispirazione. Ogni cosa arrivava mentre camminava. Non
scriveva piú, come era avvenuto per le *Gymnopédies*, dentro
casa, con gli amici che ascoltavano. Ora componeva in movimento, sul filo della sua leggerezza eccentrica. I bloc-notes.
Le idee. Semplici melodie. Arpeggi. Ritmi decisi.

Nel 1905, dopo un infinito numero di passeggiate, si
iscrisse di nuovo a scuola per apprendere il contrappunto. A
quarant'anni si ritrovava con il desiderio di far crescere la

sua musica, di far salire anche lei sul filo, di aggiungere altre
melodie alla melodia. Venne promosso a pieni voti. E il funambolo sembrò capace di uscire fuori da quegli anni com-
plicati. Quando debuttò per la seconda volta negli anni Venti del Novecento, Ravel lo presentò come il precursore della
nuova musica. Erik Satie poté smettere di suonare nei caffè,
trovò gli editori e gli interpreti per le sue opere. Il fantastico
e l'umoristico. Il funambolo continuò a fare quelle passeggiate, i viaggi da Arcueil a Parigi e da Parigi a Arcueil. Le
lunghe camminate in tarda mattinata, i meravigliati ritorni
alle prime luci dell'alba. Durante uno di quei percorsi zigzaganti appuntò su uno dei bloc-notes in cui annotava le idee
per la musica la risposta a cosa era venuto a fare «su questa
Terra cosí terrestre e cosí terrosa». Proprio sul filo di una di
quelle passeggiate, il funambolo scrisse che «credendo di far
bene, poco dopo essere arrivato», si mise «a suonare qualche
motivo musicale che mi ero inventato da solo».

Distacchi e avvicinamenti

Modi di reagire alla fine di un amore

In uno dei nove saggi danteschi scritti da Jorge Luis Borges, lo scrittore argentino arrivò all'arditezza di dire che Dante concepí un'opera e una cosmogonia cosí complesse pur di ritardare l'incontro sublime con la persona che amava. Attraversare l'Inferno, il Purgatorio e il Paradiso, impiegare e dilatare il tempo quanto piú possibile per rinviare ancora un poco l'incontro tanto atteso e sublime con Beatrice, la persona che si è amata e poi perduta. Ma se è vero quel che afferma Borges, quale viaggio può intraprendere chi ha perduto l'incanto di quel sentimento cosí inafferrabile? Quale mondo deve attraversare chi ha bisogno di trovare il lenimento?

Nella contea di Lincoln, a Bristol, nel Maine, una giovane coppia si tiene a malapena in equilibrio sulle rocce. Lei è piccolina e indossa una gonna beige. Lui è in jeans. Scattano, con il cellulare, un'immagine di loro due insieme. Con i volti vicini, un po' gettati all'indietro. Attenti a rimanere, tutti e due, compresi dentro il magico spazio dell'inquadratura. Da quanto tempo stanno insieme? Sullo sfondo si vede il faro di Pemaquid, quello dipinto da Edward Hopper. Sono venuti a cercarlo anche loro. Sono arrivati fin qui, fino alla luce del Maine, per capire se è davvero come lo hanno osservato nell'opera dell'artista statunitense. La luce sulle pareti bianche. L'oceano. La luminosità e la solitudine. Il quadro del pittore, l'idea, il sogno. Dopo la foto i due giovani rimangono stretti, mano nella mano. Poi si aiutano a risalire le rocce.

Il rumore del mare. I sorrisi. Il viso di lui che si volta a cercare quello di lei che rimane un poco indietro. Poi diventano sempre piú piccoli fino a scomparire. L'immagine di loro
due insieme, forse, ha già viaggiato attraverso le misteriose
vie della comunicazione digitale. Tra le mani dei loro amici brilla già, sugli schermi dei cellulari, la rappresentazione
digitale di un legame che nessuno può intuire quanto dure-
rà, se sarà effimero o riuscirà misteriosamente a permanere.
Una foto, un attimo, l'idea di quel che poteva essere e quel
che è stato. La curva luminosa dei giorni dell'amore. Vanno
via lenti tutti i turisti. Il faro rimane da solo. Anche la luce
scende dalla collina del giorno e si lascia andare al volo degli
uccelli, al cupo mormorare del mare.

Cosí finisce il giorno. Da qui, nel 1976, iniziò il viaggio di Joni Mitchell. Dalle coste del Maine. Dalla fine di un
amore. Aveva trentadue anni. Era già una stella. Era passato qualche anno da quando aveva cantato la perfezione di
Big Yellow Taxi. Aveva già cantato l'America che rinuncia
a se stessa e alla sua natura incontaminata per costruire par-
cheggi dove fino ad allora avevano vissuto gli alberi selvatici.
Aveva descritto l'incanto e la delusione in *Both Sides Now*.
Quel che si è stati e quel che si è ora. Eppure, nonostante
quel che aveva raggiunto, Joni si era perduta. Cosí iniziò un
lunghissimo e solitario viaggio in automobile che dal Maine,
dalle coste della luce di Hopper, l'avrebbe condotta a Los
Angeles. Migliaia di chilometri per tornare a casa, migliaia di
chilometri per lasciarsi alle spalle il disincanto di un amore.
Piú chilometri possibile per lasciarsi dietro anche l'abitudine cupa di consumare quelle sostanze che l'avevano privata
della lucidità, della capacità di trasformare in parole e musica
ciò che sentiva dentro. Poteva bastare un viaggio? Era suffi-
ciente attraversare l'intero corpo degli Stati Uniti per uscire
dal sogno con dignità? Dilatare il tempo le sarebbe servito,
come era servito a Dante per giungere con maggiore intensità all'incontro con Beatrice, per allontanarsi definitivamente dalla persona con cui non condivideva piú alcun amore?

La strada che, costeggiando l'Oceano Atlantico, scende fino alla Florida come un fiume burrascoso e ampio è la Interstate 95. L'arteria piú grande di tutta la East Coast. Dal Maine fino a Downtown Miami, in Florida. Da un estremo all'altro, piú di tremila chilometri. Le grandi corsie, la vegetazione e i giganteschi camion bianchi arenati come balene alle pompe di benzina. Le roulotte che si portano dentro il sortilegio incomprensibile delle famiglie, l'amore e l'odio di una coppia, gli esiti imprevedibili di un battibecco, lo sguardo dei bambini, i ricordi che resteranno nonostante tutto. Un uomo con una camicia azzurra che ha trovato compagnia in un bicchiere di cartone pieno di caffè poggiato sul tetto della sua auto. La bandiera degli Stati Uniti alle stazioni di servizio. Il cielo azzurro e le nuvole.

L'arco prezioso dei giorni di un amore. Il suo dissiparsi. Joni Mitchell e John Guerin. La stella e il batterista. L'incanto concreto dei gesti offerti e ricambiati. Poi le battaglie e la rabbia. Il corpo che prende vita, il corpo che si scuote, il corpo che trema ancora al tocco dell'altro. Gli istanti e gli sguardi. Il fastidio e l'inerzia. Lo stupore tenuto tra le mani. Il sogno che si schiude come un guscio e lascia volare via un corvo nero. Il cielo muto. Il tempo a interrogarsi se, prestando maggiore attenzione, si sarebbe potuto evitare quel che era accaduto. Il tempo a camminare sopra la grande lastra di ghiaccio per trovare l'incrinatura. La lenta deriva. Quel che si è e quel che si è stati. Lo strano sortilegio che ci lascia deporre ai piedi dell'altro i doni che avevamo conservato per lungo tempo, la convinzione e la certezza. Le cose recuperate dagli abissi delle profondità e quel che c'è sulla superficie del desiderio. La melodia di una canzone. L'arco prezioso dei giorni di un amore. Il suo dissiparsi. L'io, quella strana presenza dentro ciascuno di noi, prima comprensivo e desideroso, poi rabbioso e incerto. Joni Mitchell e John Guerin. Il concedersi e l'allontanarsi. L'equilibrio tra ciò che si può immaginare insieme e ciò che si deve riuscire a fare da soli. Le scale che portano a casa. La strada che

conduce lontano. L'amore e la solitudine. Le mani vuote.
Il silenzio della stanza. La rabbia. La strana percezione che
la gioia sia solo un sogno. Una chimera. L'idea di quel che
poteva essere. E quel che poi è stato.

Era l'estate in cui si festeggiava il bicentenario degli Stati
Uniti, e lungo le strade sventolavano molte bandiere a stelle
e strisce. Mentre scendeva verso sud, Joni si accorse che la
sua patente di guida era scaduta. Per evitare di essere fermata, viaggiava quasi sempre dietro alle figure rettangolari
e maestose dei camion. Erano loro ad avvertirla dei posti di
blocco della polizia. Superò Portland, Boston e Providence,
New Haven e New York senza mai prendere velocità. A cosa
le sarebbe servito arrivare quanto prima? Quei camion eser-
citavano una specie di protezione. Il viaggio, piú che una fuga, prese la forma di una specie di rifugio. Con sé Joni aveva
una chitarra e probabilmente un registratore. All'inizio non
immaginava neppure l'uso che poi finí per farne. Qualcosa
cominciò a succedere. La distanza, il tempo, il moto del viaggio che separa da ogni cosa. Qualche parola, qualche nota
cominciarono a uscire da quel che le si agitava dentro. Canzoni diverse da tutte quelle che aveva scritto prima. Canzoni
che non avevano quasi mai un ritornello. Personali e intime.
Canzoni che poteva scrivere solo lei.

Il New Jersey, la Virginia, Richmond, Petersburg. La
Carolina del Nord. La Carolina del Sud. Non appena Joni
Mitchell entrò in Georgia, nei pressi di Savannah, decise di
fermarsi sulla Tybee Island. Prese una stanza al DeSoto Hil-
ton. Aveva piovuto a lungo. Le palme nella luce della veranda,
scrisse nella canzone che compose in quei giorni, somiglia-
vano a chiazze nere di cellophane. Joni parve trovare il suo
modo di accettare e sopportare quel che le stava accadendo.
Riempí la stanza di cibo e vitamine. Appena sveglia, al mattino presto, andava a correre in spiaggia. Forse il bandolo della
matassa era ancora aggrovigliato. Scrisse ancora. «Will you
still love me, when I get back to town», mi amerai ancora,
quando sarò tornata a casa. Il giro delle parole e dei pensieri

non riesce a staccarsi da un centro di gravità. Ancora tempo, altra strada da percorrere. Tu continuerai il tuo giro furtivo intorno alla città, scrisse, io distenderò tutta l'autostrada. E cosí fece. Aveva le cartine stradali di almeno una dozzina di stati. Ora che era arrivata a sud, aveva il viaggio da costa a costa davanti a sé. Da lí in poi indossò una parrucca rossa e si fece chiamare Charlene Latimer.

Da Jacksonville, lungo la Interstate 10. Dopo Tallahassee la strada si restringe a due corsie. Il verde della Florida. Verso est non si incontra quasi nessuno. L'Apalachicola River. Le acque salmastre che annunciano il Golfo del Messico. Un grande camion che viene nella direzione opposta. È solo un istante. Poi le strade viaggiano affiancate. Poi si separano di nuovo. Gli alberi cominciano a diradarsi. Piú Joni andava avanti, piú le veniva difficile mantenere l'anonimato. Quando arrivò al Grand Hotel a Point Clear, in Alabama, cercò di farsi registrare con il nome di Joan Black. Ma il barman dell'hotel la riconobbe. «Come dice lei, Ms. Mitchell». Cosí come la riconobbero subito i due musicisti locali a cui non confessò di essere la persona che era.

Quando Joni entrò al Winn-Dixie per comprare dei salumi da portare a quei due amici, si ritrovò ad ascoltare una versione della sua *Both Sides Now*. Le parole tornarono a girarle in mente: «I've looked at life from both sides now, from win and lose, and still somehow, it's life's illusions I recall. I really don't know life at all», ora ho guardato alla vita da entrambe le parti, le vittorie e le sconfitte, e ancora in qualche modo sono le illusioni della vita che io rievoco. In fondo non conosco per nulla la vita. Ripartí quasi subito. Si fermava spesso in quei motel costruiti negli anni Cinquanta del secolo scorso. Quasi tutti uguali. Il parcheggio, le insegne con i neon, i cow-boy, gli indiani e le navette spaziali. Quando arrivò in Arizona scrisse una canzone per Amelia Earhart, l'aviatrice che scomparve nell'oceano: «I've spent my whole life in clouds at icy altitudes. And looking down on everything. I crashed into his arms. Amelia it was just a false alarm». L'arco prezioso dell'amore, il suo dissiparsi. Quel che si pensava potesse essere. Quel che è stato.

Arrivata a Los Angeles, tornata a casa, Joni Mitchell registrò le canzoni in uno studio. L'album prese il titolo di *Hejira*. Fu il primo passo di una trasformazione musicale, di una maturazione che l'avrebbe portata vicina ai piú grandi musicisti jazz. Il viaggio era stato il rifugio che le aveva permesso di uscire dal sogno. Sapeva che per tutto quel tempo, per tutto il tempo di quel viaggio lunghissimo, era riuscita a disertare le battaglie meschine della fine di un amore. Avrebbe continuato a farlo. Almeno fino a quando non avesse subito di nuovo la vertigine dell'incanto di quel che promette di essere. E di quel che è.

La tempesta e la felicità

Einstein sull'oceano. Un abisso sopra un altro abisso. Immobile, sul ponte della nave, con addosso un cappotto nero. È l'8 ottobre del 1933. Pochi giorni prima aveva parlato alla Royal Albert Hall di Londra. Era la prima volta, sarebbe rimasta l'ultima. Quante prime e ultime volte costellano, senza saperlo, la vita di ciascuno. Aveva parlato delle paure e dell'Europa. Aveva utilizzato, per esprimersi e comunicare con il pubblico, quel suo inglese ancora segnato da un marcato accento tedesco. Tra le mani, un foglio minuto. Aveva tenuto per la gran parte del tempo il viso rivolto verso il basso, per seguire il filo delle parole scritte. Probabilmente alla fine, sentendosi insicuro di quella lingua, aveva preferito scrivere e poi leggere. Voleva essere certo di quel che avrebbe detto e di ciò che avrebbero ascoltato gli uditori. Aveva condiviso una preoccupazione che lui, prima di molti altri, sentiva molto pressante: «Come possiamo salvare l'umanità e le sue conquiste spirituali, delle quali siamo gli eredi? Come si può salvare l'Europa da un nuovo disastro?» Forse era stato più facile indagare la relazione segreta tra il tempo e lo spazio, inoltrarsi nell'insondabile dell'universo, che dirimere il groviglio del male dell'uomo. C'erano stati gli applausi di tutti gli spettatori che avevano riempito all'inverosimile la sala. Oltre diecimila persone per raccogliere fondi e aiutare chi doveva fuggire. La paura e gli applausi. Frenetici e ripetuti. Ma si poteva essere soddisfatti di quegli applausi? In fondo quel battere di mani denunciava una preoccupazione condivisa, ma il modo con cui era scoppiato, quella frenesia, serviva a confessare, soprattutto a se stessi, l'incapacità di trovare una risposta efficace a quella domanda cosí urgente e necessaria.

Il 7 ottobre del 1933 lo avevano portato a Southampton in totale segretezza. Il giorno dopo, arrivati al porto, Einstein vide quella nave maestosa, la *Westernland* della Red Star Line. Fuggire a New York. Non era rimasto altro da fare, dopo la vittoria di Hitler alle elezioni. A bordo del transatlantico, quando l'Europa stava per scomparire, ritrovò la moglie-cugina Elsa, la segretaria Helen Dukas e Walther Mayer, il suo assistente e calcolatore. I tre erano saliti ad Anversa.

Attraversare l'oceano è il gesto piú risolutorio che si possa compiere. Frapporre tra sé e quel che è stato uno spazio infinito e maestoso. Quando lo si fa, niente rimane come prima. Niente può rimanere immutato. Ma il primo passo assomiglia ad altri primi passi, ad altre partenze. Non svela ancora quello che verrà dopo, cosa cambierà. Cosí si asseconda, si ascolta e si lascia che i riti della partenza prendano spazio, definiscano le modalità di questa ulteriore separazione. L'altoparlante annunciò «Tutti a bordo, si salpa». Allora gli ormeggi vennero levati, si sentirono i rumori degli argani e le grida. I saluti di chi rimaneva a terra, laggiú, molto piú in basso, preoccupato per chi partiva, ma in fondo tranquillo, piú tranquillo per se stesso. Ignaro, forse, che rimanere lí, in Europa, sarebbe diventato presto molto piú pericoloso che attraversare l'oceano.

Arrivò cosí il mare aperto con i marosi e le onde lunghe. I flutti colossali. L'Atlantico, l'oceano rabbioso, potente e agitato. Sulle navi di quella compagnia Einstein aveva già viaggiato alcune volte. Viaggi di piacere e di lavoro, ben diversi da quello che stava compiendo allora. Durante una traversata gli capitò di dover affrontare una tempesta come non ne aveva mai viste sul quel mare imprevedibile, quando andare a New York era ancora un modo di ampliare la notorietà, trovare conferme e conoscere un nuovo mondo. Quando andare a New York non significava cercare il pertugio per evitare la follia di un uomo che voleva sterminare un popolo. Scrisse che in quell'occasione, di fronte alla forza strepitosa della tempesta, aveva capito l'insignificanza dell'individuo. Non era un'affermazione originale, certo. Ma Einstein, l'uomo che ora se ne stava con il cappotto nero, i capelli ricci ancora corti, i pensieri abissali, non era certo racchiuso tutto lí. A essere sorprendente è ciò che annotò subito dopo: è proprio questa insignificanza, scrisse, la comprensione di questa insignificanza, a renderci felici.

Nel viaggio che lo stava separando per sempre dall'Europa senza che lui lo sapesse, come accade a tutti noi, che non sappiamo quel che ci aspetta e se saremo separati da qualcuno e per quanto tempo, lo scienziato, che almeno si sappia, non tenne alcun diario. Einstein, durante il viaggio, sembrò precipitare sempre piú dentro se stesso. Cominciò a scendere gli scalini della sua intimità. Di uno dei due viaggi transatlantici precedenti, quello del 1930, tenne un diario. Si conservano alcune immagini in cui lo si vede nella cabina impreziosita del transatlantico della Red Star Line seduto su una poltrona con le gambe accavallate e i pantaloni bianchi. Tiene la pipa in bocca con la sinistra. Un orologio, sul camino alla sua destra, segna l'una e dieci. Un tavolo rotondo davanti a lui. Libri e riviste. Durante quei viaggi leggeva romanzi, tornava sui calcoli che aveva elaborato e, se capitava, suonava. Con un olandese che conobbe a bordo, il signor Van Loon, colse l'occasione per eseguire delle sonate per violino e pianoforte. Era quella particolare allegrezza che sapeva portare con sé. Questa volta, invece, nessun agio particolare, nessuna esecuzione, nessuna stanza di prestigio. In segno di rispetto per il nuovo status di rifugiato, per quella consapevolezza cosí precisa della mutazione che stava per coinvolgerlo definitivamente, affrontò la traversata transoceanica in classe turistica. Nessuna comodità. Nessuna poltrona. Nessuna pianta. Anche l'allegria non poteva essere

portata con sé. Semmai l'avrebbe ritrovata, meno profonda
e ingenua, piú appariscente e straniante, al di là dell'oceano.

Per tutto il viaggio Albert non si sentí affatto bene. L'O-
ceano Atlantico non lascia respiro. È aggressivo e turbolen-
to. Poi la grande distanza che rende sgomenti e disorienta.
Dopo giorni muti, silenziosi, incerti e preoccupati, apparve
l'altro mondo. La Corrente del Golfo e l'inizio dei grandi
banchi di Terranova. Le acque basse del Flemish Cap. Forse
un po' di requie. Forse, invece, l'apparizione di quella terra
che sanciva chiaramente la separazione dall'Europa lo rese
irrequieto. La sera prima di arrivare a Halifax, la notte tra
il 13 e il 14 ottobre, lasciò la cena a metà e si ritirò nella sua
cabina. Walther Mayer ed Elsa rimasero nel salone della cena. Le tempeste e l'insignificanza dell'individuo. Quella specie di felicità. Sentiva ancora gli applausi della Royal Albert
Hall? Riecheggiava ancora nelle sue orecchie quel rumore,
quel frastuono che nascondeva nervosamente la paura di non
avere alcuna risposta? Come possiamo salvare l'umanità e le
sue conquiste spirituali, delle quali siamo gli eredi? Come
si può salvare l'Europa da un nuovo disastro? Gli applausi nella sala. Il foglietto con gli appunti. Tutta quella gente.
L'Europa. La follia.

Poi l'avvistamento dell'altra sponda di mondo. Terranova, l'isola canadese dell'Oceano Atlantico, lí protesa di
fronte alla costa orientale del Canada. Einstein non provò
né l'ebbrezza dei fratelli veneziani Nicolò e Antonio Zeno,
né quella di Giovanni e Sebastiano Caboto. Non volle neppure immaginare o ricordare quanto quell'isola fosse piena
di laghi, fiumi e foreste di conifere. Terranova era sollievo e
rammarico. Il 14 ottobre, tre giorni prima di arrivare a New
York, la *Westernland* attraccò a Halifax, nella Nuova Scozia. All'arrivo Einstein non fu lasciato da solo, come voleva,
con la propria inquietudine. Numerosi giornalisti salirono a
bordo. Cercarono tra la gente. Dov'è Einstein? chiedevano.
Volevano una dichiarazione. Dovevano riportare al giornale
qualcosa di forte. Gran parte dei passeggeri era scesa dalla

nave. Doveva aver sentito il bisogno di riprendere contatto con la terraferma. Einstein, invece, era rimasto a bordo. Non voleva vedere nessuno. Non voleva parlare con nessuno. Cosa può dire un uomo che è stato costretto a fuggire dalla follia del nazismo?

Attraverso il suo assistente Walther Mayer, lo scienziato fece sapere di essere indisposto. In questo modo sperava di ricevere in cambio un po' di pace. Ma i giornalisti non si dettero per vinti e non si fermarono finché non lo trovarono. E per qualche ragione non ebbero rispetto, o comprensione, per quel desiderio di rimanere appartato, per quella fragilità, per quel tempo sospeso che l'uomo stava affrontando, per quella mutazione irredimibile con cui doveva fare i conti. Quando lo trovarono, Albert stava facendo colazione. Un uovo alla coque. Il rosso d'uovo leggermente morbido. Con il cucchiaino cercava un po' di quel succo. Lo subissarono di domande. Una dietro l'altra. Mentre nel cielo della Nuova Scozia il clima faceva le bizze e qualche falco pescatore girava in tondo, i giornalisti continuavano a chiedere. Possiamo farle ancora una domanda? Per favore, ci dica qualcosa. Einstein fece segno di no. Ai giornalisti non concesse neppure uno sguardo o un cenno del volto. Senza alzare gli occhi, se ne rimase a indagare con il cucchiaino il prezioso rosso d'uovo. Come quella volta alla Royal Albert Hall, quando per non perdere il filo delle parole scritte non alzò mai lo sguardo verso gli interlocutori.

I passeggeri risalirono sul transatlantico. I giornalisti scesero e scrissero i loro articoli. L'immagine che restituirono del grande scienziato non fu quella di una persona sofferente, alle prese con qualcosa di cosí grande che da solo rappresentava lo sforzo e il fallimento dell'uomo di far prevalere la razionalità, la gioia e l'amore, ma quella di un eccentrico che non voleva parlare, che aveva preferito il silenzio e il suo uovo alla coque alle loro domande.

La *Westernland* si avvicinava sempre di piú agli Stati Uniti. Einstein pensava ancora che la primavera successiva, nel

1934, sarebbe tornato al Christ Church College di Oxford per un altro trimestre. L'Europa era ancora, nel recesso dei suoi pensieri, un luogo dove tornare. Ancora il giorno, ancora le notti. Un'altra terra, un altro mondo. Il profilo di New York. La Statua della Libertà. Tutti quegli immigrati. Tutte quelle fughe. Tutti quei sogni. Quando la nave attraccò al porto, Abraham Flexner, il direttore dell'Institute for Advanced Study di Princeton, e due fiduciari dell'istituto salirono a bordo e gli diedero il benvenuto. Quando Einstein scese dalla scaletta del transatlantico aveva il cappotto abbottonato, si intravedevano una camicia bianca e una cravatta scura. Il volto serio, gli occhi come due spilli. I baffi ancora piú grigi, forse, di quando era partito, dieci giorni prima. Con la destra si teneva al corrimano. Con la sinistra, quasi proteso in avanti, come se lo potesse difendere o annunciare, stringeva il manico della custodia del suo violino. Lo strumento. Il simbolo. L'oggetto musicale che nei quadri di Chagall vola in segno di amore per gli altri, di libertà, sognata e desiderata. Non fece quasi in tempo a toccare terra, che un rimorchiatore speciale lo portò verso Battery Park, dove ora sorge a pochi passi il Museum of Jewish Heritage. Un'auto lo aspettava. Non appena salí in macchina, l'autista prese la strada per Princeton. Ci volle un'ora per arrivare. Con la mano poggiata sopra al violino, Einstein avrà guardato fuori verso la strada che fuggiva veloce. Non sarebbe piú tornato, la primavera successiva, al Christ Church College di Oxford. Non sarebbe mai piú tornato in Europa. Durante le sue passeggiate con Kurt Gödel, il logico che seppe ragionare come pochissimi intorno alle dinamiche che regolano il tempo, fuggito disperatamente anche lui dall'Europa a bordo della Transiberiana, piú volte, è probabile, sarà tornato sul fastidio che aveva provato di sentirsi insignificante davanti alla tempesta del nazismo. Una tempesta che, a differenza di quella affrontata in oceano aperto, non gli aveva saputo offrire alcuna felicità.

Staccarsi da terra

Rapido e fugace. Ripetuto e inatteso. Il primo viaggio.
La dimensione è domestica. Avvicina al mondo dell'altro in
un modo tutto nuovo, che non si poteva ancora immaginare.
Quando lo si compie, lo stupore si imprime profondissimo.
È una piega, una svolta. Una vertigine. Richiede un tempo brevissimo per portarlo a compimento, o a lasciar che ci
conducano. Si raggiunge un altro, vicinissimo e remoto. Rapido e fugace. E poi quasi scompare, nel vorticare dei giorni. Quando la vita ci porta altrove. Lontani dal luogo in cui
siamo nati. Distanti dalle persone piú care. Eppure rapido
e fugace, ripetuto e inatteso, il primo viaggio ritorna. Solo
in forma di ricordo. Acuto e dolcissimo. Amaro e incantato.
Non piú realizzabile, mai piú ripetibile, e forse per quello
piú ubriacante e stordente.

Può capitare che ci sia una fotografia a testimoniarlo. Un
frammento di luce e tempo a riaprire quel varco. E mentre
guarda la foto che testimonia quel viaggio, María Zambrano,
la filosofa che ha sempre cercato di tenere il pensiero anco-
rato alle cose dell'uomo e della vita, si ricorda di quel primo
staccarsi da terra.

Ricorda quel movimento ascensionale verso un altrove.
Quel primo viaggio nelle braccia di un genitore. Una madre
o un padre. Di chi ci prende e ci porta a sé. Lassú. Dove pensavamo non si potesse arrivare mai. «Un viaggio che andava
da terra fino alla fronte di mio padre». Lo chiama cosí, men-

tre descrive quella foto a un amico. Un viaggio. Lo avresti
chiamato cosí anche tu? Uno di quei viaggi irripetibili, in
cui nessuno ti accompagna. Nessuno ti saluta alla partenza.
Nessuno, quando torni, ti chiede di raccontare cosa hai visto o provato. E quando te lo ricordi davvero, quel viaggio,
quando ci ripensi, può accadere che non ci sia neppure piú
chi ti aveva accolto al termine di quel gesto ascensionale cosí
vertiginoso e inatteso, chi, quella fronte, te l'aveva offerta
come mai nessun altro.

Una bottiglia di vodka

Non sempre è possibile portare a termine il ritorno. Anche per questa ragione Ulisse, che ne era consapevole piú di ogni altro, dovette sentire una certa gratitudine per Omero, mentre quello gli apriva, parola dopo parola, ostinatamente e caparbiamente, la via che a molti viene negata. Quando si viene cacciati dalla terra in cui si è nati, quando si perdono affetti e amici, non per questo, però, non perché non ci sia alcun Omero a ordire la via che ci riavvicina a ciò che si è perduto e a cui siamo ancora legati, non perché non ci vengono concessi viaggi decennali da intraprendere, canti delle sirene da cui difendersi o giganti da accecare, ci si può concedere di rinunciare a un altro viaggio, un nuovo viaggio che faccia in modo che la vita, nonostante tutto, torni ad accadere.

Il 4 giugno del 1972 Iosif Brodskij, all'età di trentadue anni, atterrò a Vienna con un aereo proveniente da Leningrado. Non era mai uscito dal gigantesco territorio russo. Dal chiuso del furgoncino che lo portava verso l'uscita dello scalo viennese, non appena intravide il volto dell'amico Carl Proffer fece rapidamente, con l'indice e il medio, il segno della vittoria. Che tipo di vincitore poteva essere un uomo spedito in esilio? A quale vittoria faceva riferimento il poeta che ora si trovava lontano dai riverberi baltici che tanto amava della sua Leningrado? Quelle dita alzate, viste da lontano, dall'al di là del vetro del furgone, testimoniavano coraggio, il gesto di chi chiede costantemente a se

stesso una certa presenza d'animo. Anche quando si è stati
appena accompagnati fuori dalla propria terra, fuori dalla
Russia, anche quando si è stati appena esiliati. «Meglio non
concedersi lo status di vittima». Queste parole pronunciò ad
Ann Arbor qualche anno dopo, davanti agli studenti dell'U-
niversità del Michigan. Ma c'è da credere che le pensasse
già quel giorno, dietro al finestrino del furgone. Le parole
in cui credeva, le parole che pronunciava, in fondo, erano
tutto quel che aveva. Erano la capsula in cui viaggiava una
volta che era stato gettato via dalla Russia di Brežnev semplicemente per quel che faceva, per l'eccentrica occupazione
che si era scelto: scrivere poesie. Per quel tipo di regime, un
poeta era un parassita sociale.

Nel tempo in cui ogni cosa è perduta ci si sente come abitanti di un mondo sconosciuto e che non si sarà mai in grado
di comprendere fino in fondo. Persino la capitale viennese,
con le sue vie rinomate, la cattedrale di Santo Stefano, le
orchestrine che suonavano nei parchi, agli occhi di Brodskij
finiva per apparire estranea. Forse solo l'appartata, alcolica
e colorata composizione dei locali del Grinzing lo avrebbe
confortato. Iosif e Carl girovagarono un po'. Kärtner Strasse.
Stephansplatz. Le strade e le vetrine. Ogni cosa appariva ec-
cessiva. Se con la mente Iosif era rivolto al passato, a tutto
quello che aveva perduto, alla moglie pittrice Marina Ba-
smanova che lo aveva amato e poi tradito, al bambino nato
da quell'amore e a cui la donna aveva negato il cognome del
poeta, se con la mente tornava ai genitori, agli amici, a quella stanza dove aveva lasciato la libreria piena di fotografie,
volumi e bottiglie di alcolici, con lo sguardo, invece, veniva sopraffatto da tutto ciò che Vienna ostentava. Per lui era
come essere in una foresta tropicale, dove ogni cosa strari-
pa. Provava stupore e insofferenza. L'abbondanza, scrisse
in una cartolina che inviò un paio di settimane dopo all'amico Lev Loseff, è qualcosa di molto simile alla scarsità. Anzi quest'ultima in fin dei conti, concluse, è persino meglio,
perché almeno ti costringe a stare attento. Non potevano

bastare i concerti di musica classica del Festival di Vienna che si era inaugurato qualche giorno prima con il recital di canto di Jess Thomas. Quando si è perduta ogni cosa, si deve per forza ripartire da qualche altra parte. Da qualcosa di piú intimo e segreto.

Cosí il 6 giugno decise con Carl di lasciare la città e salire a bordo di un'auto noleggiata in un punto Avis. L'idea era di mettersi in viaggio alla ricerca del grande poeta Wystan Hugh Auden. Scelsero una Volkswagen. Probabilmente la patente e i documenti con cui noleggiarono la vettura erano quelli di Carl. L'uomo, o la donna, che riempí i moduli del noleggio dell'auto avrà gettato appena uno sguardo al poeta, indolente e malinconico, con il maglioncino a collo alto e il viso da Woody Allen che continuava a guardarsi intorno. I due amici si fermarono ad acquistare una cartina dell'Austria. Brodskij aveva con sé solo un piccolo volume delle poesie di John Donne pubblicato dalla Modern Library, una macchina da scrivere Olivetti Lettera 22 e un cambio di indumenti. A dire la verità, aveva trovato il modo di portarsi dietro anche due bottiglie di vodka. Una era per sé. Quanto all'altra, voleva portarla in dono proprio a Auden, come omaggio all'uomo che possedeva, secondo Iosif, la piú grande mente del secolo. Da lui, da quel poeta inglese che si era rifugiato in un angolo segretamente meraviglioso dell'Austria, era attratto come una minuscola particella verso una grande calamita. Auden aveva scritto l'introduzione a una sua collezione di poesie. Per quanti altri giovani poeti lo aveva fatto? Dieci, cento, mille? Nel caso fosse riuscito a trovarlo in quel paradiso di verde, il poeta rinomato e acclamato da tutti si sarebbe ricordato di lui?

Arrivare a Kirchstetten fu piú complicato, però, di quanto lo stesso Brodskij immaginasse. Sebbene non fosse un ritorno come quello di Ulisse, anche Iosif si ritrovò davanti imprevisti e ostacoli. Aveva scoperto che Auden trascorreva le estati in quel piccolo centro, ma sapeva pure che il grande poeta non era poi cosí ospitale con tutti. In piú conosceva sicuramente

la storia di Rainer Maria Rilke, che viaggiò con Lou Salomé
in Russia per incontrare Tolstoj ma dovette misurarsi con il
distacco e l'indifferenza del grande maestro russo. Soprattutto, quando Brodskij cercò Kirchstetten sulla cartina, mentre
Carl aveva già messo in moto l'auto, si ritrovò davanti a una
specie di enigma: c'erano tre paesi con lo stesso toponimo.
Uno era a nord di Vienna, nel distretto di Mistelbach, verso il confine con la Cecoslovacchia di allora, a quasi novanta
chilometri da Vienna; il secondo era nel distretto di Perg,
vicino Linz, a circa centocinquanta chilometri dalla capitale
austriaca; infine il piú vicino, che si raggiungeva prendendo
l'A1. In quale dei tre avrebbero trovato Auden?

La mappa non forniva le indicazioni piú utili. Ma Brodskij
se l'era cavata in situazioni ben peggiori. Da giovane, pur
di non andare a scuola, si era fatto inserire in alcune esplo-
razioni geologiche nelle parti piú remote dell'Unione Sovie-
tica di allora. E durante il processo che subí nel 1964, alla
corte che gli chiedeva in quale scuola avesse imparato la
poesia, Brodskij rispose che non era lí che si apprendeva. E
quando il giudice insistette, con l'ottusa ripetitività di chi
rappresenta le dittature, e gli chiese allora dove l'avesse co-
nosciuta, Brodskij ebbe modo di attingere al coraggio, alla
provocazione, alla sincerità e all'avventatezza. E rispose che
la poesia viene da Dio.

Senza sapere in quale dei tre paesi si trovasse il poeta,
Brodskij e l'amico lasciarono fare al caso, al destino che a
volte decide meglio di tutti. Ma non in quell'occasione, visto
che i due non poterono evitare di perdersi e girare come in
un periplo. Dopo aver vagato e chiesto nei dintorni di Kirchstetten vicino alla Cecoslovacchia, furono costretti a tornare
indietro. A girare ancora. Non trovarono Auden neppure vicino Linz. Ma non lasciarono che le speranze si dissipassero.
Tutti e due amavano la poesia. E quella caccia cominciava
a diventare avvincente. La prima volta che Brodskij aveva
letto una poesia di Auden aveva vent'anni. Era *No change
of place*. Lo colpí la capacità di affrontare con parole sem-

plici e del popolo questioni spinose e dolorose. Cose che Iosif, in qualche modo, aveva già conosciuto bene, ma che si era stancato di ritrovare in versi stucchevoli di altri poeti. Auden, invece, era la strada verso un'inattesa chiarezza e asciuttezza. Ma il momento decisivo, definitivo, fu quando lesse la poesia scritta in memoria di Yeats. Quella in cui Auden si azzarda a dire che il «Tempo che è intollerante verso prodi e innocenti, e indifferente in una settimana a un fisico superbo», invece «adora il linguaggio e perdona colui nel quale vive; assolve viltà, orgoglio, depone i suoi onori ai loro piedi». Per Brodskij fu un'epifania stupefatta, una specie di sollievo, simile a quello che cercava in questo viaggio, in questo incontro. In quelle parole aveva trovato il lenimento alla paura del Tempo, a quel timore che lo teneva sempre stretto. Quelle parole gli diedero la conferma che la poesia era la strada. Per questo, una volta esiliato, stava andando dal piú grande poeta vivente.

Ma Auden continuava a non farsi trovare. Cosí i due amici tornarono indietro. Forse girovagarono per strade minori e preferirono fermarsi qua e là. Oppure decisero di tornare di nuovo a Vienna. Con la macchina seguirono le indicazioni per Auerspergstrasse, Museumstrasse, poi il distretto di Margareten e il maestoso castello di Schönbrunn. Da lí presero la A1, la prima autostrada costruita in Austria. La chiamano l'Autostrada dell'Ovest, e dalla periferia di Vienna porta fino a Salisburgo. La strada, quando cominciò a essere costruita, faceva parte del piano viario del Terzo Reich. In Europa ogni cosa rimanda spesso a qualcos'altro che è già accaduto e che molti non vedono l'ora di dimenticare. Ogni cosa sembra la traccia e il sedimento che porta memoria, ma che in molti sono pronti a mettersi alle spalle. Per compiere di nuovo gli stessi errori, forse, senza volersi neppure sentire in colpa. Dopo il distretto di Penzing, all'altezza di Auhof, Iosif e Carl si lasciarono sulla sinistra la riserva naturale del Lainzer Tiergarten. I daini, i cervi e i cinghiali. La foresta di querce vecchie oltre quattrocento anni. Il cumulo di passato arboreo. La vita lenta, vegetale, immota. Ora toccata, sfiorata, quasi attraversata dall'autostrada che procede verso sud-ovest. Heimbautal e Pressbaum. La Selva Viennese. Altlengbach. Qualche giro. Il respiro dell'aria. Una donna che guarda. Ecco Kirchstetten.

Alla fine di quel girovagare, Brodskij arrivò nel piccolo centro dove si diceva abitasse il poeta. Eppure con Carl se ne stavano andando anche da lí, quando s'imbatterono in una via chiamata «Audenstrasse»: la strada di Auden. Scesi dalla macchina, i due si trovarono davanti una signora poco propensa a lasciar passare chiunque avesse l'aspetto di un estraneo. Dovevano andarsene, disse. Lí non viveva alcun poeta. Brodskij, che ancora non riusciva a esprimersi in inglese e conosceva solo qualche parola di tedesco, se ne stette silenzioso a osservare la scena, a sentire quella donna che, con insistenza, ribadiva che lí non c'era alcun Auden. A quel punto, però, mentre i due stavano per risalire in macchina, Brodskij vide un uomo corpulento e tarchiato venire verso la casa. Con una camicia rossa, le bretelle e un mucchio di libri sotto il braccio. La minuscola particella era riuscita ad avvicinarsi alla grande calamita. La bottiglia di vodka venne consegnata. A berla, a quanto pare, non ci fu alcun problema.

Auden li invitò a passare la notte da lui. E poi anche altri giorni. Da quella sera di giugno il ventaglio del futuro di Brodskij venne riaperto lentamente grazie alle parole del poeta inglese. Presto sarebbe volato in Inghilterra e poi negli Stati Uniti, grazie a Carl, grazie a quel viaggio, grazie al grande poeta a cui portò una bottiglia di vodka. Se anche le sue prose, piú avanti, cominciò a scriverle in inglese, le poesie sarebbero sempre appartenute al russo. Perché è a chi vive nella lingua, che il tempo deposita i suoi onori.

Prendere congedo

È la sera del 1° ottobre del 1961. Il compositore Dmitrij Šostakovič è in partenza da Leningrado, la città sul Baltico che era stata e sarebbe tornata a essere San Pietroburgo. Rientra a Mosca a bordo del treno notturno che unisce le due capitali di un impero ormai chiuso in se stesso. Si avvia a un viaggio che attraversa il cuore della Russia piú occidentale. Su quei vagoni, lui che della musica ha fatto la sua vita, ci sale spesso, quasi una volta al mese. Gli incontri, le esecuzioni, i concerti. Ora è anche deputato. Ma quel viaggio non è come tutti gli altri. Quel viaggio ha un sapore speciale. Sembra portarlo a un confine che non ha mai oltrepassato. Ha appena assistito alla prima esecuzione in pubblico della sua dodicesima sinfonia in Re minore. Non una sinfonia qualsiasi: raccontava le gesta della Rivoluzione di ottobre. Il 1917. Erano piú di trent'anni che tentava di scriverla. Quanta fatica per portarla a termine. Per chi lo aveva fatto? Per sé? Per il Partito Comunista? Per sancire un legame o per prendere congedo?

In una lettera che il ferragosto di quell'anno scrisse al suo amico Isaak Glikman, confessava ormai di aspettarsi di riuscire a finirla in una settimana o due. Era già a buon punto. Del primo movimento era molto soddisfatto. Anche il secondo e il terzo erano quasi finiti. Ma il quarto, che avrebbe dovuto intitolarsi, seguendo la maniera enfatica e celebrativa tipica del potere, «l'alba dell'umanità», quell'al-

legro, allegretto e moderato, non voleva prendere la forma
che il compositore stava cercando. Scriveva all'amico dalla
dacia di Žukovka, la residenza nei sobborghi di Mosca. La
casa a due piani, con il piccolo patio, la panchina tra l'erba
e gli alberi che crescevano sempre di piú a fare ombra. La
casa dove con la famiglia trascorreva le estati e dove aveva
sentito la necessità, l'anno prima, di comporre quello che
secondo lui sarebbe stato il proprio testamento, l'ottavo
quartetto per archi in cui c'era tutto quello che riteneva si
potesse dire di lui. La composizione che dedicò, dopo aver
visto di persona ciò che era accaduto a Dresda, alle vittime
del fascismo e della guerra. Il quartetto con il tema di base
composto da Re, Mi bemolle, Do e Si. Le quattro note che,
nella traslitterazione tedesca, come lui aveva sottolineato,
rappresentavano le sue iniziali: D. SCH. Si riteneva anche
lui vittima di un regime?

L'attesa sul treno prima della partenza è durata un po'.
Nella foto che Vsevolod Tarasevič scattò dalla banchina
della stazione ferroviaria si vede il compositore di profilo, quasi perduto nel corridoio stretto del vagone come un
pesce in un acquario. Guarda verso una direzione elusiva,
imprecisabile. Le luci artificiali della stazione e quella piú
esile all'interno del treno. La mano destra infilata nella tasca
dei pantaloni e la sinistra che porta la sigaretta alla bocca.
Una camicia bianca, i polsini, i gemelli preziosi. Nel vuoto
del corridoio non appare nessun altro. Il compositore sembra quasi un fantasma, una presenza enigmatica. L'unico
uomo nella notte. L'unico uomo che si è deciso a mettersi
in viaggio. Lo si direbbe meditabondo, pensieroso, colto da
una preoccupazione incessante. Un pensiero da cui non riesce a liberarsi. La montatura robusta e nera degli occhiali,
le lenti spesse, il volto che in qualche modo rimanda, per la
sua serietà, per quella insondabile personalità, a Buster Kea-
ton, l'attore che fece dell'ironia e della malinconia un'unica cosa. Si direbbe intento a un pensiero particolare, un'e-
spressione che non siamo piú abituati a vedere nelle perso-

ne, quasi sempre pronte a farci vedere il superficiale volto sereno di sé, un sorriso o, semmai, il contrario, il ghigno, la rabbia, la furia.

Nella notte il treno corre verso sud, mettendosi alle spalle le notti bianche del Baltico, la stazione Moskovsky, la Prospettiva Nevskij, le memorie del sottosuolo di Dostoevskij. Dmitrij si lascia dietro la grande hall e la mappa gigantesca alla parete con le linee che uniscono le città dell'impero sovietico. Anche il treno prende congedo e si inoltra nelle distese ampie della pianura. Le case di Tosno, l'edificio chiaro della stazione di Lyuban, il fiume Volchov e le luci gialle mormoranti della stazione di Malaya Višera. Il silenzio della Russia nella notte. Da un po' di tempo la vita gli appare molto piú complicata. Prima un'operazione alla mano destra. Poi una caduta, la frattura alla gamba sinistra, la lunga riabilitazione. Solo da poco è tornato a camminare senza l'aiuto delle grucce. Con l'ironia sottile e misteriosa di cui è in possesso, e che teme di perdere, confida che tornerà a ballare a ottobre. Ma di certo non sono le provvisorie e parziali infermità fisiche a rovinargli le giornate. È molto di piú a preoccuparlo. Šostakovič ha appena compiuto 56 anni, quell'età in cui si è accumulata già una certa somma di gesti, quell'età in cui dentro si inasprisce la battaglia tra cinismo e incanto, tra pragmatismo e ingenuità. Alla fine si è fatto convincere a iscriversi al Partito Comunista, proprio lui che da sempre sosteneva che mai sarebbe appartenuto a un partito. È stato costretto? È stata una scelta opportunistica? Quali parti di sé sono scese in battaglia?

Ogni volta che si pensa a Šostakovič, ai suoi dilemmi, a volte descritto come vittima tormentata dal regime russo, altre come un opportunista che riuscí a realizzare la propria arte anche in un contesto in cui le libertà erano calpestate, sembra di precipitare nell'abisso di un personaggio shakespeariano. Per quel volto pensoso e sfuggente. Per le poche parole che ha lasciato scritte a chiarire davvero. Perché rimane solo la musica per poter capire anche la sua vita. Perché in fondo, in ciascuno di noi, non sappiamo se ci sia solo il bene o anche il male.

Il viaggio notturno in treno è popolato di pensieri, preoccupazioni, illusioni. Attese, prospettive e ricordi di quel che si è compiuto. Nel progredire del tempo, nel trascorrere dei giorni, si accumula la vita. I gesti che ci hanno reso migliori, quelli che ci hanno dato modo di avvicinarci a chi ha saputo essere generoso. Gli errori, le azioni che non immaginavamo neppure a quali conseguenze avrebbero portato. A ogni giro del tempo si sommano e si mescolano, nello spazio piú profondo della nostra personalità, quel che andava fatto e quello che invece era meglio non compiere. Il tempo, a cui si pensa come a qualcosa che spazza via ogni cosa, per tutta la vita, invece, mette una cosa dietro l'altra, e poi un'altra ancora. E anziché spazzare via, si ostina a trattenere. Nel progredire del tempo, nel trascorrere dei giorni, la vita si accumula. Schegge di luce, frammenti minerali, carne che siamo. Ferite e sorrisi. Il favore che ci aveva chiesto chi aveva piú potere di noi, offrendoci in cambio un'opportunità. Non di tutto siamo orgogliosi. Il viaggio notturno in treno è pieno di pensieri riguardo a ciò che si è andato accumulando, ai gesti di cui si comincia a sentire il peso. Come reagiremo quando il cinismo chiederà spazio all'ingenuità? Cosa faremo quando il pragmatismo proverà a disfarsi definitivamente degli slanci dell'ingenuità? Ci volteremo dall'altra parte o proveremo a prendere congedo da ciò che ci rende meno orgogliosi?

In alcuni momenti l'andare del treno sulle rotaie notturne rimanda al suono addolorato degli archi di quel quartetto scritto da Šostakovič senza alcuna commissione, solo per sé. Luka, Okulovka, il Rialto del Valdaj con le sue basse colline moreniche, i piccoli laghi nella notte come lucciole silenziose. I fiumi immensi come il Volga, che nascono e sgorgano proprio da quei rilievi. I viaggi notturni sanciscono e concedono una separazione momentanea dal mondo, offrono l'opportunità di allontanarsi davvero e di avvicinarsi a quella parte di sé che altrimenti rimarrebbe remota e silenziosa. La riflessione è un animale che ha bisogno di tempo e silenzi per uscire dalla tana. Quando si è in viaggio, di notte, quell'animale comincia a girare intorno con maggiore disponibilità e insistenza. Non è la disperazione della notte immobile delle case, la malinconia dei letti vuoti. Quando la notte è in viaggio, la mente si fa piú lucida, e il paesaggio, invisibile fantasma al di là del finestrino, sembra privare i nostri pensieri di gravità. L'andare, in qualche modo, toglie pesantezza e lascia che la riflessione ci aiuti a chiarire qualcosa dentro di noi.

Il viaggio di Šostakovič è quasi a metà. Dorme, pensa, si rigira un poco tra le lenzuola. Il treno, nella notte, supera Bologoe con l'ampio lago, Vyšnij Voločëk sullo spartiacque tra il bacino del Volga e il mar Baltico. Le luci delle stazioni, mute e solitarie, fremono sul finestrino. La ferrovia che unisce San Pietroburgo a Mosca è una delle piú antiche, venne inaugurata nel 1855. A lungo il potere lasciò che ci viaggiassero solo le persone con un elevato tenore di vita, gli appartenenti alle élite. Si temeva che il solo fatto di viaggiare, di poter andare con un treno nella notte da una città all'altra, da San Pietroburgo a Mosca, potesse creare le premesse per una rivolta popolare.

Trascorre ancora un po' di tempo nella notte che pare immobile e incantata. In un'altra foto scattata all'interno del treno si vede Dmitrij Šostakovič seduto sul divano del suo scompartimento. I capelli tagliati corti, la vertigine al risveglio che, come un adolescente, non è riuscito ancora a domare. Il treno supera Kalashnikovo, Lichoslavl' e Tver'. Šostakovič tiene le braccia unite, con i palmi delle mani giunti, gli avambracci poggiati su una borsa sopra i pantaloni. Il cuscino sgualcito per la notte trascorsa. Il volto di profilo. La bocca chiusa. Quasi un sorriso, impercettibile. Un'impercettibile variazione keatoniana sul viso. Quando arriva il momento in cui si viene posti di fronte a quel che la vita ha accumulato dentro di noi, di fronte ai frammenti di luce e alle pietre dure, ai gesti che non vorremmo riconoscere, alle complicità piccole e meschine, ci piace pensare sempre che saremo in grado di prendere congedo da quel che abbiamo compiuto e che riconosciamo come la parte peggiore di noi. Ma saremo davvero capaci di farlo?

Il treno arriva alla stazione Leningradsky di Mosca quando mancano cinque minuti alle otto del mattino. Dmitrij scende dal vagone con la camicia bianca, gli occhiali dalla montatura nera e le lenti spesse. La sigaretta è di nuovo accesa. Lo sguardo meditabondo. Muto a guardar nel vuoto. Dopo quel viaggio, dopo l'esecuzione della dodicesima sinfonia dedicata a Stalin, Šostakovič entra in una nuova e piú sperimentale fase della sua vita compositiva. Per la tredicesima sinfonia chiede al giovane anti-regime Evgenij Evtušenko di scrivere i testi. Nel quinto movimento la musica accompagna le parole: «Ricordo le paure potenti, serve della menzogna trionfante. Le paure dovunque, com'ombre, s'infilavano in tutti i porton. Il cuor dell'uom, le mente soffocavan, ed il marchio su tutto c'era ognor. E il timor di restare soli in due, muti a guardar nel vuoto...»

Sembrò allora che cominciasse davvero a prendere congedo da quella parte di sé di cui era meno orgoglioso.

Il pertugio

Quasi tutti gli adolescenti scelgono la via della fuga. Per uscire dall'età dell'incertezza voltano le spalle alla famiglia e si arrampicano sull'albero che li porta al di là del giardino di casa. La lite, la rabbia. Senza neppure sapere perché. Prendere commiato da quel che prima sembrava il luogo della confidenza e dell'affetto. Tutto ciò che era di conforto all'improvviso appare come incongruo ed estraneo. Non resta che arrampicarsi sull'albero e andarsene altrove. Quasi tutti incarnano quel passaggio in un viaggio solitario, una fuga senza nessun altro se non la propria rabbia e la voglia di indipendenza a fare da compagnia. Fabrice Luchini scelse un modo meno inquieto di scavalcare il muro della sua adolescenza. Già allora era meno prevedibile degli altri.

All'epoca del viaggio che intraprese aveva poco piú di tredici anni e abitava a Clignancourt, il diciottesimo arrondissement di Parigi, dove la madre aveva una frutteria. Il padre era tornato dalla Seconda guerra mondiale, ma con sé non era riuscito a portare indietro il senno necessario per far finta di nulla e riprendere la vita di prima. D'altronde, come si può tornare dalla guerra e mantenere un'idea sopportabile di quello che si è visto e di ciò che si è stati costretti a diventare? Come si può tornare da una guerra e trattenere tra le mani la colomba fragile della vita quotidiana senza farsela fuggire via al primo strattone?

Nonostante avesse due fratelli, Luchini pensava di essere figlio unico. A quell'età si è sempre vicini alla follia. Nel dedalo di Istanbul Orhan Pamuk, lui che era davvero figlio unico, quando aveva la stessa età di Fabrice pensava che dall'altra parte della città, in un quartiere lontanissimo, vivesse un bambino come lui: un gemello. E ci pensava giorno dopo giorno, a quel gemello dall'altra parte del numero infinito di case, comignoli, palafitte e vite misteriose tutte da scoprire. A casa Pamuk, però, c'era solo Orhan. Nella periferia di Parigi, invece, nella piccola casa di Fabrice i fratelli erano tre. Forse fu anche per questo che un giorno di agosto del 1961 Fabrice decise di fare con la madre quel viaggio in bus verso il centro rilucente di Parigi che lo avrebbe definitivamente portato fuori dal mondo dell'adolescenza.

La casa di Luchini era a pochi passi dalla fermata di Custine-Ramey della linea 80. Se ci si passa davanti ora, si vede la banchina ordinata e deserta di fronte a un caffè e a un ristorante giapponese. Rue de Custine è in leggera salita e un intero lato è occupato da una fila interminabile di macchine parcheggiate vicino al marciapiede. La strada, in questo punto, è cosí stretta che ci si passa appena. Da qualche parte, al sesto o al settimo piano di un edificio bianco con i balconcini liberty, magari qualcuno sta vivendo esattamente come ci si immagina che si viva a Parigi: in una piccola soffitta sotto al cielo tra pile di libri per terra, il profumo dei fiori, la musica jazz che fuoriesce da un amplificatore e le lenzuola appena sgualcite. Lassú, forse, qualcuno si sta baciando, provando la sensazione, come confessava Cortázar, di avere «la bocca piena di fiori o di pesci, di movimenti vivi, di fragranza oscura».

La madre di Luchini aveva letto l'annuncio di un'offerta di lavoro sul giornale «Paris-Soir». Si trattava del piú rinomato parrucchiere di Parigi. I giornali si leggevano ancora nel formato di carta e inchiostro e si compravano nelle edicole. C'erano ancora anche i posti di lavoro. La madre di Fabrice, visto quel marito, vista quella perdita di senno, si era data da fare e aveva preso un appuntamento. Ché al destino bisogna sempre dargli un aiuto. Ché ai figli bisogna pensarci da subito. Perché se non si decidono loro a fuggire, bisognerà accompagnarli.

Il mondo dell'infanzia, la madre doveva saperlo, è un'isola che si abbandona senza accorgersene. Non si fa in tempo a voltare lo sguardo per soffermarsi ancora un po' su quella sponda, che è già scomparsa. D'un tratto non ci sono piú i corridoi bui, le grida dei genitori, quello che si pensava fosse un idillio e non lo era per nulla. Per questo, quando salirono sul bus, la madre e il figlio neppure si parlarono. Non c'era nulla da dirsi. Neanche una raccomandazione.

Nella Parigi di allora, vicino alla fermata della linea 80 c'era anche il deposito dove gli autobus, raccontò Fabrice, soffiavano come cavalli impazienti di uscire. Ora dai finestrini del bus si vede il fioraio all'angolo con i cesti dove i fiori sedimentano gli umori dolciastri, mentre gli alberi, quasi delusi dal grigiore della giornata, sembrano estenuati dalla costrizione di vita vegetale che li spinge a cercare un po' di nutrimento nel microscopico spazio sottoterra che viene lasciato loro dalle pesanti griglie circolari. Il bus volta a sinistra e imbocca Rue Caulaincourt. Le sedie di paglia e i tavoli del Café Francoeur. Gli alberi si fanno radi. Il bus comincia a riempirsi. Una giovane madre, con il volto velato, è seduta in uno dei pochi posti rimasti liberi e tiene stretta la mano di sua figlia. Forse anche lei è salita dove salí Fabrice con la madre. O alla fermata di una periferia ancora piú lontana. Quando si aprono le portiere, sale una donna avanti con l'età. Si guarda intorno. Nessuno pare voglia privarsi del proprio spicchio di comodità. Nessuno vuole fare spazio a quella donna che fatica a camminare. La donna araba si agita un poco, è indecisa sul da farsi. A cosa sta pensando? Poi, dopo qualche istante, si alza e con il francese di chi arriva dalle colonie invita l'anziana a sedersi al posto suo. La donna anziana stringe a sé la borsetta e serra quasi le labbra. Trattiene qualcosa. Fissa la giovane. Guarda quel velo. Poi esplode: «Vattene, torna al tuo paese». La donna avanti con gli anni rimane in piedi, secca, come un albero che non riesce piú a trovare il modo di attingere al suo nutrimento. Immobile come trattenuta da una grande griglia di ferro. La figlia della giovane araba allunga la mano verso la madre.

In Rue Caulaincourt, fuori dal finestrino, si ripete sui marciapiedi la sequenza dei caffè. Gli ombrelloni arancioni, le sedie di paglia, i tavolini dove si rimane ore e ore ad attendere e parlare. A pensare, leggere, ad aspettare che arrivi qualcuno. È probabile che quando Fabrice passò di qui, i tavolini fossero pieni e la gente mostrasse un fervore elettrico. Forse non se ne accorse nemmeno. A quell'età si pensa solo a se stessi. Oggi chi siede a quei tavolini sembra non riuscire a liberarsi da una sorta di allerta e timore. Invece di guardare verso la strada alla ricerca del volto della donna che sta aspettando, continua a fissare qualcuno per capire se dentro quello zaino nero si nasconda qualcosa di pericoloso.

Ad accompagnare il ragazzino Luchini in quel viaggio c'era anche l'immaginario inconsapevole che era andato sedimentandosi le sere in cui aiutava sua madre alla frutteria. A quel tempo, prima di diventare l'attore in possesso della rara, delicata e sofisticata sensibilità che tutti conosciamo, saliva le scale del Passage Cottin per portare le cassette di frutta e verdura. Piú saliva, piú l'orizzonte si allargava, piú l'aria si faceva pura. Faceva le consegne alle signore nella parte alta di Lamarck e a lui sembrava di ritrovarsi nelle colline sopra Nizza. Saliva, saliva. Gli appartamenti che per molti erano recessi irraggiungibili, grazie al suo status di ragazzino di bottega diventavano luoghi improvvisamente accessibili. Allora se ne stava fermo e osservava, in attesa di una mancia o un bicchiere d'acqua, e intanto si nutriva e beava di quel che vedeva. Sembrava tutto cosí ampio e aereo. Dalla dimensione minuta e incantata della sua infanzia, dalla purezza dei suoi occhi, non poteva neppure immaginare che dietro un corridoio, al fondo di un salone, ci fossero i vizi e le meschinità che piú tardi riuscí a intravedere e svelare Luis Buñuel.

Dopo la fermata Square Caulaincourt il bus comincia

a scendere lungo la discesa. Non c'è piú nessuno che legga «France-Soir». La giovane araba, a cui è stata negata la possibilità di essere gentile, ora stringe la mano della figlia e si alza, fa per spostarsi in un punto dove può stare in piedi insieme alla sua bambina. Senza accorgersene sfiora il braccio dell'anziana. Il contatto fa scoppiare una nuova scintilla. L'anziana sembra aver covato, nel rovo della paura, un'aggressività pura e animalesca, rabbiosa e indifesa. La giovane donna velata, forse anche perché lí vicino c'è sua figlia, si trattiene dal rispondere e stringe la piccola ancora piú a sé. Ma proprio in quel momento, mentre sembrava che tutti se ne stessero chiusi nel proprio riserbo, un uomo robusto si alza e si avvicina. «Cosa vuoi? – dice alla giovane araba. – Non vedi che devi andartene? Non ti vogliamo. Torna a casa tua. Vattene via. Tu e la bastarda di tua figlia». La donna ora sembra aver paura. Tutti, sull'autobus, tornano a chiudersi nel loro bozzolo segreto. Non è facile scegliere, alzarsi e parlare. La figlia non riesce a star ferma, si gira e rigira un piccolo cellulare tra le mani. Nessuno fa caso a lei, nessuno fa caso ai piú piccoli. Alla fine si decide. Digita un numero e poi comincia a parlare. Lei è francese e parla benissimo la lingua.

Alla fermata di Damrémont-Caulaincourt il sole penetra a stento tra gli alberi e gli edifici, ma a ogni traversa si apre una vista meravigliosa sulla città e l'orizzonte. Si supera Rue Joseph de Maistre e si passa sul ponte. Da lí si intravede il cimitero di Montmartre, dove sono sepolti anche l'intraprendente madre di Luchini e suo padre, l'uomo che aveva perduto il senno al ritorno della guerra e non riconosceva piú sua moglie. Dopo il ponte, ha raccontato Luchini, qualcosa cominciò a cambiare. Il bus sbucò su Place de Clichy e passò davanti al Grand Cinéma con i suoi tremila posti a sedere. Poi attraversò i binari dei treni che vanno e vengono dalla stazione di Saint-Lazare. Quando arrivò lí con la madre, ha raccontato Luchini, fu come ritrovarsi in una terra sconosciuta. A Place de l'Europe, se qualcuno glielo avesse chiesto, non avrebbe saputo dire nemmeno come si chiamasse.

Ormai era in un altrove sconosciuto. Rue de Miromesnil gli sembrò sconvolgente per quel suo modo di essere chic, rilassata e ampia. Piena di prospettive. Era il mondo intero, nuovo ed elegante, che gli veniva incontro.

A bordo del bus anche alla figlia della donna velata questa piazza, queste strade, sembrano un altrove sconosciuto. Rue de Miromesnil è troppo grande anche per lei. Alla fermata c'è la polizia ad attendere. È stata la bambina a chiamarla. Due agenti salgono sull'autobus che intanto riparte. Da lontano si sentono le voci della giovane donna, dell'anziana e dell'uomo corpulento. Ciascuno con le proprie parole descrive quel che è accaduto. Un vociare conteso. La ragazzina assiste. Alla fermata successiva la polizia, anziché portare via l'uomo robusto, fa scendere la giovane donna velata. Dietro di loro anche la bambina con il suo cellulare e la mano stretta in quella della madre. Dove sarebbero dovute scendere? Quella madre, a cui non è stato permesso di essere gentile, dove stava accompagnando la giovanissima figlia?

Quando gli Champs-Élysées erano ormai vicinissimi, Fabrice raggiunse la meta: il numero 3 di Rue Montaigne. Era emozionato e spaesato. Quel viaggio in bus cosí strano e insolito, ma in fondo breve e quotidiano, cosí decisivo e risolutivo, fortunato e d'altri tempi, era appena terminato, eppure era come se stesse ancora proseguendo. Nella sua mente, nella sua testa, nel suo cuore. Ci fu un colloquio. Un giro per le stanze ampie e luminose. Le cose che osservava erano come le aveva immaginate nei saloni illuminati delle signore a cui portava la frutta dal negozio di sua madre? Lo assunsero come ragazzo di sala. Ogni giorno chiedeva alle clienti, donne profumate dalle gambe lunghissime, se desideravano leggere qualcosa, le aiutava a mettersi il velo sopra i capelli prima che il casco cominciasse a scaldare l'acconciatura. Quei profumi, quei volti, quelle essenze. Il fascino discreto della femminilità e della borghesia lo catturò senza che lui potesse fare nulla per difendersi. Imparò in fretta a trattare con le donne e ad ascoltare le loro parole. Non si voltò piú indietro, non fece neppure in tempo ad accorgersi che l'isola dell'infanzia era già scomparsa. Cinquant'anni dopo nella stessa città, cosí diversa e trasformata, il pertugio attraverso cui era passato il giovane Fabrice, in quel viaggio dalla periferia al centro, sembra essersi ormai richiuso dietro di lui. Nessuno sa quanto tempo ci vorrà affinché quei ragazzini, che come Fabrice arrivano dalle periferie, possano di nuovo passarci attraverso.

Origini e mutazioni

L'isola del tesoro

Prima di una partenza, all'improvviso, in una notte d'inverno, il sonno non si offre piú come ristoro. Allora comincia una battaglia silenziosa, improponibile, tra sé e quel che c'è di sconosciuto. Il sonno, spazio misterioso in cui capita di rimanere per alcune incomprensibili ore, non è un luogo in cui, se ci si è già stati, si sa come tornarci. Il sonno è una dimensione, un tempo, a cui si accede senza sapere come. Solo l'attesa e la pazienza sanno come fare. È il sonno, semmai, ad aprirsi la strada verso di noi, noi non possiamo che aspettare. Cosí quando, prima di una partenza, arriva quella notte in cui il sonno non si fa avanti, si ha come la sensazione di perdere quel po' di purezza che ci tiene legati all'innocenza. Si ha come la sensazione di capire meglio Franz Kafka quando scriveva che il sonno è la cosa piú pura che ci sia, mentre l'uomo insonne è l'essere piú colpevole. Anche per una sola notte.

In quella notte d'inverno in cui il sonno non arriva, ci si misura con l'acuirsi di ogni sensazione. Il palpito del cuore, il flusso del sangue, la pelle, l'incresparsi dei capelli contro la superficie liscia del cuscino. Perdersi nei meandri delle lenzuola, sentire il rumore dei passi di chi sta attraversando il corridoio in qualche parte dell'albergo, sentire le parole, il respiro affannoso della notte, il crepitio muto delle stelle lontanissime, il rumore del pianeta Terra che gira. Tutta la notte senza dormire. L'acuirsi di ogni sensazione, l'orlo del mondo che continuamente si strofina contro il corpo e impedisce di precipitare nel vuoto, nel silenzio misterioso.

Quando Keith Jarrett si ritrovò ad affrontare quella notte insonne prima della partenza, aveva appena finito di suonare alla Grande Salle d'Epalinges di Losanna. Il concerto era iniziato alle otto e mezza. Lo aveva registrato anche Radio Suisse Romande. Sulla «Gazette de Lausanne» di giovedí 23 gennaio 1975, a pagina 2, dove c'erano i programmi della radio e dei cinema, alla sezione «Spectacles» si poteva leggere un trafiletto di poche essenziali parole: «Concerts. Grande Salle d'Epalinges. 20,30. Concert de jazz. Keith Jarrett, piano solo, org. Radio Suisse Romande». Keith, dopo il concerto, se n'era andato in albergo. Ma non aveva dormito quasi per niente. Aveva sentito il palpito del cuore, il flusso del sangue, l'incresparsi dei capelli contro la superficie liscia del cuscino, le pieghe disordinate nei meandri delle lenzuola, il rumore dei passi di chi attraversava il corridoio, la voce di chi osava pronunciare delle parole nelle ore del buio, il respiro affannoso della notte, il crepitio muto delle stelle lontanissime, il rumore del pianeta Terra che gira. Forse era anche lui come Gilgamesh. Soffriva d'insonnia per un eccesso di energia e voglia di agire. Anche lui sapeva che ad attenderlo c'era una battaglia molto particolare.

Il mattino seguente partí per Colonia, dove aveva una data la sera stessa. La macchina era di Manfred Eicher, il giovane produttore della casa discografica indipendente ECM. Keith aveva ventinove anni e Manfred trentuno. A trent'anni, ne erano convinti tutti e due, succede sempre qualcosa di incredibile. A trent'anni puoi cominciare ad afferrare qualcosa, perché sta per giungere il tuo tempo. Quella mattina, però, non sapevano ancora quali frutti avrebbero colto. Con loro c'erano anche la moglie di Keith e il figlio. Andavano verso Berna. Era venerdí e probabilmente presero l'A1.

In quel tour Keith aveva deciso di prendersi sempre un giorno per viaggiare. Voleva che tra un concerto e l'altro trascorresse almeno una notte in pace. Ma dopo Losanna, dopo

la notte insonne, quel programma non era possibile: a Colonia
poteva suonare solo la sera stessa del viaggio. Tutto si sarebbe sovrapposto. Consapevole delle difficoltà, l'organizzatrice
del concerto di Colonia, Vera Brandes, aveva messo a dispo-
sizione di tutti loro, di Keith, di sua moglie, del figlioletto e
di Manfred, dei biglietti per un volo dall'aeroporto di Zurigo.

All'auto però si erano abituati. L'abitacolo della R4, per
il tipo di vettura, il prezzo, le dimensioni, era particolarmente comodo. Certo, rispetto alle auto di oggi quelle semplici
panchette ad armatura tubolare sulle quali erano stesi due
fogli di tessuto apparivano come due sedie da spiaggia. La
macchina era larga meno di un metro e mezzo e come quasi
tutte le R4 aveva dei problemi alle sospensioni. Inoltre non
andava oltre i cento chilometri all'ora, anzi era difficile che
li raggiungesse. Riprendere velocità o una parvenza di velocità, dopo una salita, era molto complicato. E da quelle parti, di salite, ce n'erano molte.

All'inizio del tour non era stato cosí. Dopo quel sonno
perso, la fatica arrivò tutta d'un tratto. Quasi come una forza che si concentrava. La prima tappa europea era stata a
Kronach, nell'alta Baviera, il 17 gennaio. Oltre Norimber-
ga, oltre Bamberga. Nei giorni precedenti, Jarrett era stato
a sciare sulle Alpi. Si era riposato. Una volta a Kronach, dopo aver controllato il piano, chiese che venisse accordato di
nuovo. La sera fece il tutto esaurito. Improvvisò. Come bis
suonò *In Your Quiet Place*, un pezzo che aveva composto
per un disco uscito nel 1970. Quei capelli crespi. Il corpo
asciutto. Il viso serio. Mentre suonava, grugniva. La musica delicata e percussiva. Sublime. Tre giorni dopo scese verso sud, sempre insieme a Manfred Eicher, fino a Villingen,
nel Baden-Württemberg, tra la Foresta Nera e l'altopiano
del Baar, a quasi ottocento metri di altitudine. Forse fu lí
che cominciò a farsi strada un po' di stanchezza e di fatica.
Il viaggio era durato piú di quattrocento chilometri. C'era,
tuttavia, il tempo di riposare. Poi il 21 gennaio proseguirono
verso Friburgo. Era vicinissimo. Fu quasi una passeggiata,

giusto il tempo di aprire i finestrini e assaporare l'aria. Una cinquantina di chilometri nel cuore della Foresta Nera. La vetta dello Schauinsland. Il clima dolce. Anche lí improvvisò. Per ultimo aveva suonato *Treasure Island*, un pezzo pubblicato nell'album dell'anno precedente. La versione solo pianoforte fu ancora piú lirica di quella registrata nell'album, dove la chitarra si sovrapponeva nella prima parte melodica. La musica rimaneva nella testa di chi era andato a vederlo. Qualcuno riusciva a canticchiare qualche frase. Una frase unica, che non avrebbe piú trovato da nessun'altra parte. Il concerto fu, anche quella volta, un evento irripetibile. Il tour era stato concepito cosí. Quelle frasi, quelle isole di musica, quei frammenti, continuavano a girare soltanto nella mente di Keith e di chi era andato a sentirlo suonare.

È un'isola del tesoro insolita, cupa e preziosa, la notte senza sonno. È una porta d'accesso a qualcosa di diverso, a qualcosa che altrimenti non troverebbe luce. Per Kafka la notte era senza sonno, era lo spazio in cui l'uomo che si mette al lavoro diventa creatore. Nella notte accedeva a qualcosa d'altro. Non al sonno, non all'innocenza. Cosí, nella notte senza sonno, da qualche luogo arrivarono le parole che aveva cercato con ostinazione, le parole del *Verdetto* prima e delle *Metamorfosi* poi.

A Berna fecero una pausa. Keith e Manfred rimasero affascinati dalle campane che a mezzogiorno cominciarono a suonare. Una nuvola di armonici, nel cielo freddo e disteso della città. Keith disse che gli sarebbe piaciuto, un giorno, catturare quella stessa sonorità e usarla in una composizione. Arrivati a Zurigo, per qualche ragione, Jarrett e il produttore, invece di lasciare l'auto in un parcheggio e imbarcarsi sul volo riservato per loro dalla giovane produttrice di Colonia, decisero di incassare il valore in denaro dei biglietti e di proseguire il viaggio in macchina. Il produttore e il pianista. Margot, la moglie di Keith, e Gabriel, il loro figlio. Ottocento chilometri con una R4.

Mentre i quattro attraversavano la Germania, mentre superavano Friburgo, Karlsruhe e Heidelberg, la produttrice di Colonia riuscí a vendere tutti i biglietti del concerto. Con un piccolo escamotage di antica tradizione: per ciascun biglietto aveva scelto un prezzo d'affare, solo quattro marchi. Invitò inoltre alcuni dei migliori critici musicali in circolazione. Per qualche motivo, però, per quelle insondabili coincidenze che determinano i destini, le sfuggí la cosa piú importante. In quelle ore, infatti, dedicò meno attenzione al pianoforte, allo strumento con il quale Keith avrebbe suonato. Meno cura dedicò proprio all'oggetto misterioso di cui lui, ogni sera, conosceva un esemplare diverso. Eppure il contratto che regolamentava quella spericolata tournée europea era chiaro: a ogni tappa si garantiva che un gran piano a coda in buone condizioni venisse accordato la sera del concerto. Fino ad allora le cose erano andate come previsto. La qualità del piano era sempre stata quella che piú o meno ci si aspettava. Ogni volta un accordatore metteva a punto lo strumento, fissava con precisione la segreta e precisa distanza che separa ogni semitono. Se necessario, tornava piú volte per perfezionare il lavoro, esattamente come chiedeva Keith.

I quattro nell'abitacolo della Renault si avvicinavano a Colonia, cosí come si avvicinava la sera. Stanchi ed ebbri. Passarono vicino alle luci di Coblenza e Bonn. Il cielo si chiudeva. La stanchezza si faceva sempre piú pesante. Come fugge il sonno, come si tendono i nervi, quando manca il riposo, quando il corpo non trova requie. La schiena e il dolore che si sente. Infine dal parabrezza della macchina s'intravidero le prime abitazioni ai lati delle strade di Colonia. A fatica si avvicinarono all'albergo. Keith provò a riposare. Ma ancora una volta il sonno si mostrò come un gatto a cui non si può chiedere di accoccolarsi vicino a te. Si avvicina solo se vuole lui. E se lui non vuole, tu non puoi fare nulla. Anche a letto il viaggio continuò ad attraversare il corpo, ad agitare i nervi. A Keith non restava che presentarsi in teatro e vedere il piano. Una volta arrivato, però, scoprí qualcosa di diverso da quanto pattuito. Il gran piano Bösendorfer 290 Imperial

non c'era. Per qualche ragione, per la distrazione dell'organizzatrice, per i sortilegi del destino, al posto suo c'era un
Bösendorfer molto piú piccolo, quello che usava il coro per
le prove. Keith suonò solo qualche nota, poi si fermò. Il piano non aveva una buona risposta né sui tasti alti, né su quelli
bassi. Il pedale non funzionava. Il concerto era previsto dopo le 23. Se per quell'ora sul palco non ci fosse stato un vero
piano, il concerto sarebbe saltato. Keith e Manfred andaro-
no a mangiare, ma anche il cibo fu pessimo. Ritornarono al
teatro con la certezza che non ci sarebbe stata nessuna esi-
bizione. Il piccolo piano era ancora lí. Vera non era riuscita
a sostituirlo. Però era riuscita a coinvolgere un accordatore,
che aveva lavorato al piano per tutto il tempo. Tuttavia anche
cosí non poteva andare. Niente concerto. Niente Colonia.
Eppure alla fine, per qualche ragione insondabile, per le sup-
pliche della giovane organizzatrice, Keith accettò di suonare,
proprio quando stava per farsi riaccompagnare in albergo.

Cosí, quel che doveva avvenire, avvenne. Nella hall la
melodia percussiva della campanella avvertí che il concerto
stava per iniziare. Tra il pubblico c'erano molti giovani. Quasi tutti vestivano come lui. Un paio di jeans, una maglietta.
Non si era mai vista una cosa del genere nella hall dell'Opera
di Colonia. Quale musica sarebbe uscita dai tasti di quel piccolo piano? A Keith non restò che compiere l'ultimo passo
di quel lunghissimo viaggio iniziato nel mattino di Losanna:
cominciare a suonare. Molti, disse lui stesso, gli raccontaro-
no che per iniziare quel primo movimento, quel *Part 1*, si era
aggrappato proprio al suono della campanella. Quella notte
anche a Colonia, cosí come a Praga, un uomo si mise seduto
a lavorare dopo una lunghissima insonnia e finí per creare
un altro mondo. Un mondo che forse non sarebbe mai arrivato fin lí, se non ci fosse stato un viaggio interminabile,
la privazione del sonno, la colpa, la mancata innocenza. Un
mondo che non sarebbe mai giunto, se non ci fosse stato quel
piano stranissimo uscito da un incubo. Infine quel desiderio
di lasciarsi andare, improvvisare non qualcosa che sarebbe

arrivato da un flusso inconsapevole, ma qualcosa che era la somma di tutte le note cercate a lungo, delle frasi musicali, delle percussioni ritmiche, delle soluzioni armoniche che per molto tempo Jarrett aveva cercato tra i tasti di un piano. Il concerto venne registrato e, come una storia scritta, rimase lí. Inciso in un nastro. Restò anche il giorno dopo, quando la notte era fuggita e Keith non era piú l'insonne del giorno prima. Restò come un frutto caduto da un albero che qualcuno ha agitato senza quasi piú ricordarsi di averlo fatto. Al mattino Manfred e Keith, insieme alla moglie e al figlioletto, ripartirono per fare all'inverso tutto il viaggio fino a Baden, in Svizzera. Vicino a Zurigo accesero l'autoradio e ascoltarono il nastro di quel concerto. E non parve vero neppure a loro che quella musica fosse cosí perfetta.

Far nascere se stessi

Passare il confine tra Messico e Stati Uniti. Quasi come cambiare natura o universo. Varcare una soglia geografica, ma anche, allo stesso tempo, superare un limite intimo e personalissimo. Passare una porta stretta e trovare dall'altra parte quel che non si sapeva di possedere. Abbandonare qualcosa senza sapere cosa si riuscirà a recuperare, se mai qualcosa si potrà recuperare. Quasi come passare attraverso una tempesta.

Il tifone, la tempesta, il cavallo indomito della sofferenza si presentò presto a Frida Kahlo. Dovette sentirlo vicinissimo quando, i primi giorni di settembre del 1932, salí sul treno che l'avrebbe portata da Detroit fino a Città del Messico. E da lí fino a Coyoacán, quel villaggio che esisteva prima ancora che arrivassero il ferro e la brama delle conquiste spagnole. Fino alla capitale dei Tepanichi, dove un tempo c'erano le acque del lago di Texcoco, dove abitava la sua famiglia. Fin dentro il covo dei suoi affetti. Un telegramma spedito dalla sorella le aveva comunicato che sua madre stava molto male. Quel messaggio era stato l'unico modo di avvertirla. Un tifone si era abbattuto sulla regione travolgendo tutto, strade, fiumi, uomini, linee telefoniche. Per arrivare fino a quel grumo di case nel cuore del Messico non c'erano voli aerei. Non c'era un solo modo, per Frida, di telefonare alla sorella. Non potevano confortarsi, dirsi tutte le parole che volevano dire. O anche starsene in silenzio da un capo all'altro dei due mondi, quasi mute, a sentire il respiro l'una dell'altra.

Quando si è vicini a un confine geografico, intimo, umano, personalissimo, al primo vento che soffia, alla prima avvisaglia di tempesta capita che si abbia voglia di cercare un riparo, un antro che protegga dalla furia del tifone. La sofferenza, irrimediabilmente umana, rimane un cavallo che non sappiamo domare. Tentare di salirci sopra è cosí spaventevole che preferiamo posporre l'impresa per tutto il tempo che ci viene concesso. Dentro il remoto spazio di sé ci illudiamo con il pensiero che il tifone passerà altrove. Girerà al largo. Ma è solo un inganno.

In treno Frida non si nascose, non cercò che qualcun altro domasse il cavallo della sofferenza al posto suo e cominciò a prepararsi a superare quel confine geografico, intimo, umano e personalissimo. Le fermate che toccò il treno della Wabash Railway dovettero apparirle come un sogno, un qualcosa di distaccato dalla realtà. Oppure, come a volte accade, siamo noi stessi che sembriamo qualcos'altro rispetto a quello che siamo stati, un sogno che abita una realtà inafferrabile e incomprensibile. In quella terra sconosciuta in cui ci getta la sofferenza, ogni cosa appare diversa, incerta. E si diventa stranieri anche dove siamo stati di casa. Gli Stati Uniti e il Messico. Gringolandia e la terra del cuore. Vederli con gli occhi, attraversarli con il corpo. Detroit, la sponda orientale del maestoso lago Erie, il confine con l'Ohio, Toledo, i meandri del fiume Maumee, le grandi distese agricole, poi l'Indiana, Fort Wayne, i profili delle fabbriche che chiudevano durante la Grande Depressione, Logansport e le colture di mais.

A Detroit Frida, la pittrice che ancora non era la pittrice che conosciamo, prima di intraprendere quel viaggio, prima di partire, era arrivata con il marito Diego Rivera, che era stato incaricato di realizzare gli affreschi del Detroit Istitute of Arts. A quei tempi lei, per chi non la conosceva, per la stampa e i media che poi l'avrebbero amata e cercata, consumata e idolatrata, era solo la moglie di Rivera. Non era nessuno.

Tanto che quando i due arrivarono alla stazione di Detroit,
quasi la ignorarono. Il fisico minuto, il volto, gli abiti, l'e-
nergia incerta e fortissima che le covava dentro. Nessuno
la chiamava Frida Kahlo. Frida Kahlo non era ancora nata.
Agli incontri ai quali partecipavano in città, la consideravano
bizzarra. Gli abiti colorati, quel modo di dire la sua. Pochi
giorni prima di partire, il 30 agosto, aveva cominciato a dipingere un quadro. Ebbe pochi giorni per abbozzarlo. C'e-
rano un letto e una donna con le gambe divaricate. Il capo
del corpicino di una nuova vita.

Il treno attraversò l'Indiana, l'Illinois e il Missouri. Frida
se ne stava piangente in uno scompartimento buio. Fuori dal
finestrino scorreva l'America profonda. La cinta del cotone.
Spazi e terre piene di fabbriche, i luoghi immensi dell'agricol-
tura, le terre che furono dei nativi americani. Fragile e forte.
Come una dea antichissima. Frida aveva già cominciato ad
affrontare la tempesta ad appena diciotto anni, quando un
incidente in pullman la costrinse a dolorose operazioni chi-
rurgiche, il corpo che si sottraeva alla forza e alla salute, ma
lei che continuamente risaliva. Come Sisifo, Frida non smet-
teva di credere nella risalita.

Sul treno, ad accompagnarla in quel viaggio lunghissimo,
c'era Lucienne Bloch, una collaboratrice del marito. Frida
era fragile, debolissima. Quasi impalpabile, come non era
mai sembrata. Eppure cominciava già a mostrare una forza
tutta sua. In una foto scattata da Lucienne Bloch la si vede
di profilo che guarda il paesaggio al di là del finestrino. Nel
riquadro oltre il suo sguardo si vedono i campi, gli arbusti,
ma il vero paesaggio è lei, la sua figura. Il suo volto sembra
quello di una statua antichissima forgiata con l'argilla dei
tempi remoti. Una statua sopravvissuta al trascorrere delle
ere. Viene quasi da rintracciare in quella posa, seppur fragi-
lissima ed eterea, le sembianze di una dea. Il naso leggero,
la bocca dischiusa. Appena un paio di mesi prima aveva subito un aborto spontaneo, in cui aveva camminato sul confine che separa il tempo della vita da quello del mistero. Tre-

dici lunghissimi giorni di degenza. Per qualche ragione, però, Diego – il marito, l'amore unico, controverso e doloroso
della sua vita – invece di partire con lei in quel viaggio verso
l'ombra della madre, verso la perdita che sgomenta, invece
di sospendere il lavoro che aveva accettato a Detroit, lasciò
che fosse Lucienne Bloch ad accompagnarla. Lasciò che fosse
lei da sola, Frida, ad affrontare il tifone e il cavallo inquieto
della sofferenza.

Da Saint Louis fino a Laredo, fino al confine con il Messico, fu ancora un tempo lunghissimo. Forse perché era la
prima volta che lasciava Diego. Era la prima volta che andava incontro all'ombra della madre. Una tempesta, ancora
una tempesta. Frida, insieme agli altri passeggeri, scese dal
treno. Il Río Bravo era esondato e aveva distrutto la ferrovia. Nelle foto scattate da Lucienne al confine, Frida tiene
le braccia conserte. Al collo porta una collana scura. I capelli tirati indietro, la riga in mezzo. Uno scialle scuro, la borsa
sotto il braccio sinistro. Si fece ritrarre sotto il cartello con
la scritta «For Negroes». Doveva trovare particolarmente of-
fensive quelle separazioni oltraggiose. Nonostante la fatica,
il dolore, la sofferenza che tornava a farsi sentire, ascoltava
tutto quello che le persone avevano da dire mentre aspetta-
vano un bus insieme a lei. Ascoltava i nomi di chi era stato
ucciso dai flussi del Río Bravo.

Nessuno sa mai come reagirà a ciò che sta per accadere,
nessuno può prevedere quale sarà la sua reazione all'impre-
visto, alla tempesta, a quel che stravolgerà le sue abitudini.
Nessuno sa mai se sarà all'altezza del viaggio che lo costrin-
gerà a misurarsi con la sofferenza. Ciascuno, in fondo, è
davvero quel che è solo quando viene costretto a misurarsi
con un viaggio, con un avvenimento che lo può travolgere.
Nel racconto *Tifone* di Joseph Conrad la tempesta arriva da
nord-est. Il capitano MacWhirr, sulla nave, è un po' come
Frida Kahlo a Detroit. I marinai a bordo lo guardano quasi
con disprezzo. Poi, però, con la minaccia della tempesta sopra le loro teste le cose cambiano. Quando arrivano i primi

segnali scoraggianti, quando comincia una serie di rollate, una peggiore dell'altra, una dopo l'altra, al suo secondo, a Jukes, che tanto lo aveva schernito e che scende nella cabina per suggerirgli di allungare di qualche giorno la rotta per evitare la tempesta, il capitano risponde che non vuole fuggire di fronte al tifone. Perché si comporta cosí? Perché anche il capitano preferisce andare incontro alla tempesta?

Dopo un'attesa di dodici ore gli esausti viaggiatori entrarono in Messico in autobus. A sentire la testimonianza di Lucienne Bloch, le ultime ore del viaggio, le ultime ore che l'avvicinarono alla tempesta, furono quelle che Frida soffrí di piú. Nella tempesta accade cosí. Il capitano MacWhirr sente sotto i piedi l'agitazione della nave, ma non può nemmeno intravederne l'ombra sulle onde. Tutto è scuro. L'esplosione di un lampo freme come se irrompesse in una caverna, in una buia e segreta camera del mare. MacWhirr dice a Jukes, che ancora gli suggerisce di evitare la tempesta: «Cosa dirò quando arriverò al porto con due giorni di ritardo, avendo allungato il percorso pur di scansare la tormenta? Non potrò giustificarmi evocandola, perché neppure l'avrò vista. Di quale impedimento ciancerò, non avendolo neanche sfiorato? Dirò che ho letto tanti manuali, ma in quale manuale è contemplato il preciso tifone che mi s'accampa forse davanti?» Come posso conoscere una tempesta prima che mi cada addosso? Come faccio a sapere come sono fatto davvero?

Alla stazione di Mexico City, ad attendere Frida c'era un gruppo di sorelle, cugini e cugine. Le famiglie numerose. L'irrequietezza dei momenti in cui tutto sta per cambiare. Agli occhi della canadese Bloch, quei familiari vitali e frementi, attaccati alla vita e impauriti, apparvero «isterici». Frida, al termine di quel lunghissimo viaggio, trovò rifugio nella possibilità di stare con la sua famiglia. Arrivò la notte di sabato 10 settembre 1932. Quando la domenica mattina andò a trovare la madre Matilde Calderón, le sue condizioni erano già gravi. In quei giorni spedí a Diego telegrammi e lettere, in cui confessava la sopraffazione e la disperazione per le condizioni della madre. Anche se il 12 settembre sarebbe stata operata, la situazione era chiaramente senza speranza. Il 15 settembre, tre giorni dopo l'operazione, Matilde Calderón oltrepassò il limite che separa la vita dall'ignoto. Il tifone era passato? Per quanto tempo ancora avrebbe soffiato all'interno della mappa emotiva di Frida? Cosa sarebbe successo dopo?

A metà ottobre Frida Kahlo tornò a Detroit. Ripercorse a ritroso il viaggio. Varcò di nuovo il confine che separava la terra madre del Messico e Gringolandia. Arrivò a Detroit il 21 ottobre. Solo allora fu in grado di finire il quadro che aveva iniziato prima di quella partenza urgente e necessaria. La testa del neonato che emerge dalle gambe divaricate della madre. Il punto di vista del medico. Il lenzuolo che copre il volto e il petto della donna. L'occhio che viene attratto inesorabilmente dal parto. Sulla parete, l'immagine della Vergine dei Dolori trafitta dalle spade. Frida disse di averla inserita come «parte di un'immagine mnemonica, non per ragioni simboliche». Un dettaglio dei ricordi d'infanzia, un oggetto che piaceva alla madre. Il letto, disse Frida, era quello di sua madre, dove erano nate sia lei sia sua sorella Cristina. Di sicuro, mentre dipingeva aveva pensato a tutto quel che era accaduto prima, durante e dopo quel viaggio. In quel quadro, poi intitolato *Mi nacimiento*, c'era il bimbo non nato, c'era la madre che aveva perso la vita. E c'era lei che, dopo avere attraversato la tempesta, nasceva di nuovo.

Metamorfosi in Transiberiana

L'uomo che cadde sulla terra partí da Vladivostok nell'aprile del 1973. I passeggeri lo intravidero salire sul treno, camminare lungo i corridoi e fermarsi per qualche istante a guardare, con le trasparenze abissali dei suoi occhi, verso distanze infinite. Vladivostok se ne stava sull'Oceano Pacifico, di fronte al mare maestoso, nell'estremità meridionale della penisola Muravyov-Amursky, là dove arrivano i monsoni e il freddo non diventa gelo. David Bowie aveva appena concluso il tour mondiale portando in giro quella sua metamorfosi che prendeva il nome di Ziggy Stardust. Un giovane che era diventato una rockstar grazie all'aiuto degli alieni. Era arrivato fin lí, via nave, dal Giappone, dove aveva tenuto gli ultimi concerti. Per tornare in Europa aveva preferito il treno, forse senza neppure immaginare a cosa davvero stesse andando incontro. Aveva preferito quel mezzo cosí antico ed evocativo perché una notte aveva sognato di morire in un incidente aereo. Fino al 1976 avrebbe dovuto viaggiare senza volare. L'uomo che cadde sulla terra come l'uomo che volle attraversarla tutta. Bowie come Terzani. La paura, il timore, il rispetto per ciò che di insondabile c'è nel destino. Ma anche l'attrazione muta e profonda per la Siberia, per quella terra desolata che Bowie, in qualche modo, raccontava nelle sue canzoni di quegli anni.

Con la Transiberiana ci volevano dieci giorni per arrivare a Mosca. Un viaggio che tocca il profondo di chiunque lo faccia. Bowie scelse di viaggiare in un vagone deluxe, due cuccette, una toilette e un bagno da condividere. Rimase quasi da subito chiuso nel suo scompartimento, forse ancora prigioniero di Ziggy Stardust, dell'uomo caduto sulla terra, ma durò pochissimo. Non poteva non accorgersi di cosa c'era oltre il suo scompartimento, oltre quello spazio privilegiato. Non esiste alcun modo di evitare il mondo, soprattutto in un vagone della Transiberiana. Si accorse della prima classe, con quattro cuccette per scompartimento. Notò la classe inferiore, con le cuccette fino al soffitto e la gente che dormiva per terra.

Il treno fermava a ogni stazione e dopo quasi ottocento chilometri, quando il viaggio non era che all'inizio, a Khabarovsk Bowie dovette cambiare treno. Dal finestrino scorrevano forme del mondo ancora vicine e comprensibili. Una casa bianca con il tetto azzurro spiovente. La vegetazione ai lati del binario. La campagna, i passaggi a livello, qualche vettura. Sulle cime alte degli alberi denudati qualche volatile aveva costruito il nido dove far crescere i piccoli. Il ponte sul fiume Amur. La distesa ampia e grigia delle acque. Le nuvole basse all'orizzonte. I primi segnali di una terra desolata. Un bosco di betulle. Ogni quindici minuti il treno si fermava a una cittadina dimessa e povera. Qualcosa cominciava a mutare. Il paesaggio attinge sempre a elementi semplici, una casa, un monte, una nuvola, per cambiare. Fino a quando, però, non arriva la Siberia. Perché quel che si vedrà allora sarà completamente diverso da quel che si è visto prima.

Per giorni e giorni il treno attraversò una natura incontaminata, lungo foreste maestose, fiumi infiniti e ampie pianure. Bowie, Ziggy Stardust, il giovane con i capelli color arancio, l'uomo che cadde sulla terra, non aveva mai immaginato che il mondo custodisse ancora spazi di natura cosí inviolati. Ulan-Udė. Irkutsk. Tajšet. Il mondo che lui conosceva prese un'ennesima e impensata forma davanti ai riverberi dei suoi occhi. Alla meraviglia, però, si sovrapposero la povertà e la miseria. La gente seduta per terra. I sorrisi dolcissimi, le

parole incomprensibili, gli sguardi profondi. Il cibo offerto
a ogni fermata. Una porzione di quei quasi diecimila chilometri di viaggio cominciò a insediarsi dentro di lui, sovrap-
ponendosi a ogni istante, a ogni parola che ascoltava, a ogni
volto che guardava. E tutto lo allontanava da quel che era
stato, dalla maschera che aveva indossato e interpretato. A
cosa gli serviva il libro sull'arte moderna giapponese che aveva comprato a Yokohama?

Di notte, qualche volta, Bowie prendeva la chitarra e
suonava. Ad ascoltarlo c'erano le due assistenti con la divisa
azzurra militaresca dello scompartimento. Le parole che sul
palco degli stadi americani e giapponesi gli sembravano cosí
certe e sicure, ora suonavano diverse, davvero aliene, a cospetto di quel mondo vasto, assoluto e maestoso.

Migliaia di chilometri di mondo sfilavano dal finestrino.
La parte sud della Siberia non terminava mai. Lo sguardo
però raccoglieva tutto. Le immagini di quel che vediamo si
depositano nelle parti piú segrete e misteriose dell'animo e
diventano pensieri. La notte, poi, quelle immagini riemer-
gono nei sogni.

I volti sorridenti alle fermate delle stazioni scomparirono.
Alla fermata di Krasnojarsk il tempo era ormai una misura
inafferrabile e incomprensibile. Bowie rimaneva a letto, quasi ammalato, a tossire. Qualche volta accendeva la macchina
da presa da 16 millimetri che aveva comprato in Giappone.
Il mondo tremolante dei fotogrammi appariva ancora piú
fragile e sofferente. Come dovette apparire all'astronauta
William Anders durante la missione Apollo 8 il 24 dicembre
del 1968. Immagini che cambiarono per sempre il modo di
vedere lo spazio che abitiamo.

Pian piano che procedeva il viaggio, Bowie abbandonava i suoi abiti glamour, le sue giacche. Ogni cosa si semplifi-
cava. Persino i suoi cappelli. Novosibirsk. Omsk. Tjumen'.
Non sempre la metamorfosi, il cambiamento sono il frutto
di una scelta che compiamo. A volte è la stessa vita a trasfor-
marci in qualcosa che non sappiamo. Quando Gregor Samsa

si risveglia, dopo una notte di sogni agitati, nelle sembianze di un coleottero, non si capacita di come le sue gambe siano numerose e sottili, non si capacita del suo ventre arcuato e bruno diviso in tanti segmenti. Tuttavia la sua natura umana, nonostante quelle sembianze, è piú viva che mai, cosí dolorosa, cosí presente. Per tutto il tempo lunghissimo di quella brevissima esistenza mutata, Samsa lotta per mutare ancora, per tornare a essere umano. Disperatamente.

A Ekaterinburg, che allora si chiamava Sverdlovsk, il fotografo che lo aveva raggiunto in aereo dal Giappone spinse Bowie a emergere dalla stanza-scompartimento in cui si era di nuovo rifugiato. Alla stazione della città dove venne ucciso l'ultimo zar di Russia, Bowie si mise una camicia, un giubbotto giallo e scese per la prima volta dal treno. Leee Black Childers provò a ritrarlo come se fosse ancora Ziggy Stardust, come se si trattasse della stessa persona che era partita dal Giappone. Continuò a fotografare ritraendo tutto quel vedeva. Due militari gli presero la macchina fotografica. Bowie cominciò a filmare quel che stava accadendo.

Infine il 30 aprile 1973 Bowie arrivò a Mosca, dove si fermò per qualche giorno. Da lí ripartí in treno il 2 maggio. Attraversò la Polonia, Berlino Est, Berlino Ovest e arrivò a Parigi il 4 maggio. Perse la coincidenza per Calais. Mutato, trasformato, Bowie aspettò il treno per Boulogne. Si ritrovò a trascorrere parte di quell'attesa al Café du Nord Brasserie con il giornalista del «Melody Maker» Roy Hollingworth e il fotografo Barrie Wentzell, ai quali disse: «Ho visto la vita. Dopo aver visto le condizioni di questo mondo, mi sento terrorizzato come mai prima». Non confessò che, da lí a breve, non sarebbe piú stato Ziggy Stardust. Che da lí a breve avrebbe cominciato a lottare per tornare a essere umano. Disperatamente.

Paradiso perduto

Le nostre origini sono sempre in un altro luogo. C'è sempre qualcuno, nella nostra famiglia, che è arrivato da un altrove. Con abiti che appaiono strani ai nostri occhi. È sempre in un altro luogo che cerchiamo le nostre radici. Non è mai un viaggio semplice, una gita dove si va con una camicia bianca e degli occhiali da sole, con il passo lieve e il cuore leggero. Forse perché quando si compie quel viaggio ci si espone al rischio del fallimento, alla consapevolezza che quel che si cercava, in realtà, è una chimera. Il luogo che si visita, che si desidera comprendere piú a fondo, perché è il luogo da cui provenivamo, rimane celato e inspiegabile. Ma quel viaggio, seppure possa certificare l'impossibilità di risalire alle origini, non appena si conclude comincia a prendere di nuovo, senza neppure sapere come, la forma del desiderio, del bisogno di tentare ancora, di colmare quel vuoto, di afferrare quel che non si è riusciti ad afferrare. E di partire ancora una volta.

Nel 1962 V. S. Naipaul aveva 29 anni. Aveva lasciato Trinidad, aveva lasciato le terre in cui era incappato Cristoforo Colombo durante uno di quei viaggi che piú di ogni altro aveva cambiato, oltre al destino di chi lo aveva intrapreso, i destini di chi lo aveva subito. Era andato a Londra. La scrittura era già la sua forma di esistenza. La sua ombra, però, era l'India. La terra da dove era arrivato il nonno. Un paese che nessuno gli aveva mai descritto e sentiva come irreale. Ma lui proveniva da lí. Era lí che affondavano le sue radici. Il nonno aveva intrapreso un viaggio lunghissimo da un villaggio dell'Uttar Pradesh orientale fino a quel frammento di terra che è Trinidad. Quel viaggio lontano nel tempo durò mesi attraverso l'oceano. Nella casa della nonna Naipaul, ogni giorno, in quell'isola, vedeva oggetti che arrivavano da lontanissimo. Oggetti insostituibili, che il nonno aveva portato con sé. Oggetti che una volta rotti nessuno avrebbe saputo rimettere a posto.

Alla fine, non potendo resistere ancora, V. S. Naipaul partí alla ricerca dell'India, delle origini e della sua ombra. Fu un vero e proprio attraversamento di un cuore di tenebra. Un mondo in cui non si riconobbe e che non riconobbe. Quella terra che era stata dei nonni, poteva essere anche la sua? La lacerazione prodotta dal tempo trascorso si poteva suturare? Al termine di quell'attraversamento del continente indiano, Naipaul salí su un treno che lo avrebbe portato da Madras a Calcutta. Era il modo di congedarsi e cominciare a comprendere qualcosa di piú di quella terra. Se qualcosa mai poteva essere compreso. Partí non appena i treni tra le due città ripresero a funzionare, dopo le gravi inondazioni, dopo la guerra scoppiata tra India e Cina in seguito alla decisione presa dal governo indiano nel 1959 di concedere l'esilio al Dalai Lama. Tutto il confine himalayano, lungo oltre tremila chilometri, con una guerra combattuta ad altitudini infinite. Anche allora veniva naturale domandarsi: a chi appartengono le terre? Alle potenze che se le contendono o agli uomini che le coltivano?

Quando partí, anche le carrozze erano divise tra civili e militari. Oggi il treno parte da Madras/Chennai alle sei e cinque del mattino. Prende il nome di Guwahati Express. Percorre mille e seicento chilometri, tutto il fianco costiero orientale dell'India, in ventotto ore. Una fila lunghissima di vagoni attraversa il vento e sfiora palme rinsecchite. Innumerevoli passeggeri muti e silenziosi. Quasi tutti intenti sul loro poco cibo, sul loro niente di niente. Molti dormono. Le file lunghissime dei vagoni che s'incrociano vicinissime l'una all'altra. La moltitudine, la vita infinita prodotta dall'India. In un punto del *Paradiso Perduto* Milton scrive: «Milioni di creature spirituali si muovono, non viste, sulla terra, quando siamo svegli come quando dormiamo».

I bambini alla stazione di Sullurpeta. Il treno che supera Gudur senza fermarsi. La costa sud dell'Andhra Pradesh. Dopo Ongole, quando il giorno comincia a ispessire la sua luce, il treno passa sopra il fiume Krishna. La sacralità, la rimozione dei peccati con l'immersione nel fiume. I pellegrinaggi. Le foreste di mangrovie. Il passaggio sopra un altro fiume, il gigantesco Godavari. Gli abiti appesi ai fili, i panni di tela stesi per terra, il ponte che non termina mai. Il treno. Le auto. Il rumore assordante. Poi Rajahmundry.

I treni fermi nel bel mezzo del nulla. Vicini e immobili, diretti in opposte direzioni, in attesa di chissà cosa. Qualcuno è sceso e si è appoggiato alla carrozzeria dei vagoni. I volti degli uomini adulti che hanno ancora gli occhi dei bambini. Le camicie a maniche corte fuori dai pantaloni. Poi il treno riprende la sua corsa. Il numero infinito di stazioni in cui il convoglio non si ferma. Le piattaforme lunghissime per contenere l'innumerevole quantità di carrozze. Un treno come un intero universo. Le mattonelle rosse e gialle, le banchine grigie qualche volta piene, altre vuote, le tettoie azzurre. I nomi delle stazioni scritti in nero sui cartelli di un giallo acceso. In inglese. In hindi. In urdu. Gli uomini in piccoli gruppi, qualcuno fermo tra i binari senza prestare attenzione. Altri, all'ombra sotto gli alberi, mangiano qualcosa. Le famiglie con i piú piccoli seduti su una panchina e gli adulti in piedi che girano intorno. Le origini, l'appartenenza.

Naipaul raccontò dei militari e delle loro divise color verde oliva. Del loro aspetto, delle buone maniere, degli ufficiali baffuti che davano nuova forma alle banchine ferroviarie. Ordine e spettacolarità. Seduto con lui nello scompartimento c'era un maggiore. Aveva una bottiglia di champagne con dentro dell'acqua. Alla partenza era rimasto silenzioso per tutto il tempo, dopo aver lasciato moglie e figlia alla stazione centrale di Madras. I tre, racconta Naipaul, per il commiato si erano semplicemente seduti uno accanto all'altro. Poi, a mano a mano che il viaggio procedeva, l'uomo divenne piú sereno. Cominciò a parlargli. Gli chiese da dove venisse e cosa facesse. Naipaul non gli disse tutto quello che aveva visto. Non gli disse delle grida dei facchini striminziti e sudati e di quelle dei venditori di betel. Non gli disse che si era domandato dove andassero tutti quei treni. Non gli disse che si era convinto che laggiú in lontananza, dove ancora non si intravedeva nulla, c'erano soltanto un'altra stazione, altre grida, altri corpi prostrati, altri cani.

Dopo Rajahmundry la ferrovia compie una grandissima curva, un giro ampio e continuo. Il passaggio veloce alla stazione di Samalkota senza fermarsi. Il rosso della parte nord della Coastal Andhra. Al tramonto, l'ombra del treno che gli correva di fianco fece quasi addolcire lo stato d'animo di Naipaul. Nella notte, per un attimo, sembrò cedere o ritrovare qualcosa. Scrisse di quelle stazioni che si susseguivano fiocamente illuminate.

Poi al mattino, dopo Mecheda nel Bengala occidentale, l'attraversamento del fiume Rupnarayan e la corsa raggelata verso Kharagpur. Quando il treno, riscaldato da un pallido sole invernale, si avvicinò al verde Bengala, i sentimenti di Naipaul verso l'India e la sua gente si ammorbidirono. Aveva dato troppe cose per scontate. Tra i passeggeri bengalesi lo colpí un uomo con una lunga sciarpa bianca di lana e una giacca marrone di tweed sopra il *dhoti*, l'indumento di stoffa che gli uomini indiani portano al posto dei pantaloni. Alla disinvolta eleganza dell'abito si accompagnavano la finezza dei lineamenti e il contegno rilassato. Naipaul arrivò a pensare che l'India non era soltanto squallore, violenza e decadimento umano, ma anche gente piena di grazia e di bellezza, governata da una raffinata cortesia. Producendo troppa vita, scrisse, essa negava il valore della vita. Ma ogni viaggio non porta mai con sé solo una cosa, non ci conduce mai in un solo luogo. Il viaggio ci porta sempre in uno spazio infinito, ci restituisce sempre un ampio spettro di emozioni. In nessun luogo come in India, si accorse Naipaul, c'erano persone cosí nobili e compiute. Persone che si offrivano pienamente e con tanta sicurezza allo sguardo altrui. «Conoscere gli indiani voleva dire gioire delle persone in quanto persone: ogni incontro era un'avventura. Non volevo che l'India naufragasse; il solo pensiero era doloroso».

Giunse a Calcutta. Il viaggio era terminato. Dopo averla cercata, non fece altro che allontanarsi dall'India. Si accorse che quel viaggio aveva spezzato la sua vita in due. Non era riuscito a trovare quel che cercava. Non c'era stata la magia. La terra della sua infanzia rimaneva una zona oscura. Il Paradiso perduto rimaneva tale. Per sempre Adamo rimaneva fuori dal giardino che pensava, o ricordava, di aver abitato. Aveva cercato il varco che lo conducesse verso la terra mitica e non l'aveva trovato. Forse era impossibile trovarlo. Forse non esisteva. Non esisteva per nessuno. O forse non esisteva per lui. Come i passi himalayani ormai lontani, cosí quella terra che aveva cercato, che aveva attraversato, ridiventava ora, a mano a mano che si allontanava, una terra mitica. E quella terra, quell'idea, tornava a esistere solo nello spazio privo di tempo che aveva immaginato da bambino. Una dimensione in cui, pur camminando su suolo indiano, non sarebbe riuscito a penetrare.

Al termine di quel viaggio Naipaul aveva conosciuto soltanto la sua «separatezza dall'India, ed ero contento di essere un coloniale, senza un passato, senza antenati. Un uomo senza terra». La ricerca dell'altrove da cui proviene ciascuno di noi aveva sancito una separazione definitiva. L'impossibilità di risalire lungo l'albero delle proprie radici. La migrazione, la fuga del nonno aveva aperto una cesura che non si poteva piú ricucire. A quanti nipoti dei migranti di oggi, in ogni parte del mondo, accadrà la stessa cosa? Quanti di loro partiranno per recuperare una traccia delle loro origini e scopriranno di non poter mai piú avere accesso a quella terra mitica? Molti anni dopo quel viaggio Naipaul vinse il Nobel per la Lette-

ratura. Tra le motivazioni che giustificavano quella scelta si
leggeva: «A literary circumnavigator, only really at home in
himself». A quanti altri figli, nipoti e uomini, costretti ancora oggi a fuggire in un altrove, capiterà di sentirsi davvero
a casa solo dentro se stessi?

Nonostante il Dna

Nessuno sa cosa ci abbia fatto diventare quel che siamo. I nostri gesti, quel che è scritto nei nostri geni. Il sorriso che all'improvviso abbiamo ricevuto. Il giro del vento, l'aria e l'orizzonte. Le porte che si chiudono. Il rumore delle voci. Una lite, un segreto. Il tempo che passa. La città lontana. I cartelli luminosi. La luce. I suoni. Il ritorno a casa. Quel sovrapporsi della vita, istante dopo istante, quel mutarsi del corpo e quei passi che portano lontano. Seguire con lo sguardo le linee dell'edificio di una chiesa antichissima. Rimanere fermi ad ascoltare il rumore degli zoccoli di un mulo sul selciato di una strada che si inerpica verso la vetta di un'isola. Il sovrapporsi della vita. Le mani che si cercano. E dentro, dentro ogni singola cellula, i silenziosi segreti della lunga elica del Dna, quel groviglio di geni che tacitamente porta con sé le chiavi e le prospettive, i semi e i frutti, la memoria di chi è arrivato prima e poi non è stato piú. Ciò che si sceglie di fare, il viaggio che si compie e ciò che è scritto nel codice genetico.

Nel 1911, quando ancora non era quello che poi divenne, Charles-Édouard Jeanneret intraprese un lungo viaggio che lo portò verso Oriente. Non aveva ancora scelto per sé il nome di Le Corbusier né aveva realizzato, a Cap Martin, il Cabanon, il capanno che era quasi una cella monacale, a un passo dal mare. Si era appena concluso il tempo in cui trascorreva le giornate in biblioteca a leggere di filosofia e architettura. Aveva viaggiato in Germania ed era andato a Parigi.

In quel viaggio a Oriente vide prima le piccole città e i villaggi lungo il Danubio, poi le cupole di Istanbul, i colori e le luci. Infine si spinse ancora piú a est, dove l'aria prometteva di farsi piú rarefatta. Cercava lo spazio piú silenzioso possibile, la solitudine piú assoluta e grezza. Arcaica e nuda. Per questo motivo si recò dal patriarca di Istanbul per ottenere il *diamonitirion*, il permesso che lo autorizzasse a recarsi nella repubblica monastica del Monte Athos. La lettera gli fu consegnata l'11 agosto del 1911. Aveva appena ventitre anni. Il patriarca, in quella missiva conservata e ritrovata, spiegava ai rappresentanti della comunità che quel giovane, partito da lontanissimo, arrivava fin lí per visitare i Santi Monasteri e studiarne l'architettura. Tutto quel viaggio, scrisse Jeanneret, tutti quei frammenti di mondo, non per rimanere affascinato dall'infinita diversità degli uomini, ma per capire cosa c'è di unico e comune in tutta l'umanità. Era come cercare, nel profondo infinito di una cellula, in quella doppia elica curva, i codici che condividiamo con tutti gli uomini e che ci rendono unici.

Ricevuta la lettera si avviò, insieme al suo amico August Klipstein, verso Salonicco. Da lí scese a sud-est per circa centoquaranta chilometri su strade sterrate, verso il porto di Ouranopoli. La repubblica monastica era a un passo. Ma via terra, allora come oggi, non si poteva passare. Lo proibisce la costituzione greca. Cosí cominciò quel tratto di viaggio che lo avrebbe posto di fronte a un ulteriore interrogativo. Quel tratto di viaggio che lo avrebbe sfidato ancora piú profondamente.

Ouranopoli, con il nome greco che rimanda alla città del paradiso, le piccole barche, le voci, le poche persone che camminano in acqua lungo il breve tratto di spiaggia vicino al porto. La Torre di Andronico che è lí dal 1344. Il braccio di pietra che s'inoltra nel mare. Le barche che fanno fare il giro intorno alla penisola del Monte Athos. Si avvicinano fino a cinquecento metri, ma non possono fare di piú. Qualcuno s'informa sul costo del biglietto e torna a discutere con

i compagni di viaggio. Qualcun altro, salito sulla torre, esce
sul balconcino che si affaccia sul mare. Quale orizzonte vede per sé?

I due salirono sul traghetto. Per arrivare al Monte Athos
non impiegarono le poche ore che impiega oggi il ferryboat
dal nome *Agia Anna*. Ci vollero giorni. E quel tempo, quel
tempo di mare non trascorse come una noia o un tempo perduto, ma fu esperienza, occasione e luogo. Era agosto e il caldo
di oltre un secolo fa doveva somigliare, a modo suo, a quello
del secolo che venne dopo. Jeanneret, che non era ancora Le
Corbusier, scrisse che di giorno se ne restavano accampati a
prua come dei gitani. Sfiniti dal calore dello zenit. Senza ri-
spettare alcun orario o scansione rifiutavano i pasti che ve-
nivano serviti. La sera, poi, preferivano rimanere seduti sui
grandi rotoli delle corde o persino sull'ancora, e lasciavano
che i granelli del viaggio precipitassero nel fondo di quello
che stavano per diventare. Cosí lontana, l'incommensurabile bellezza del tramonto assumeva un aspetto piú inatteso e
prorompente. I due sentivano che il declinare del sole, quella
luce, quel giro della Terra, infondeva calma e forza: «I nostri muscoli, – scrisse, – battono rinvigoriti dal sangue». La
notte, infine, per approfittare di tutto quello che c'era da vedere, Jeanneret fingeva di dormire e restava sveglio. Proprio
lí, al buio, per vedere «con tanto d'occhi, instancabilmente,
le stelle e, con le orecchie dritte, sentire addormentarsi ogni
segno di vita e il *silenzio* diventare vittorioso».

Cosí come è complesso divenire quel che siamo, anche
avvicinarsi al Monte Athos richiese pazienza e ostinazione.
Durante la quarantena, la segregazione che si prescrive a chi
raggiunge un luogo appartato dal mondo per evitare che vi
si introducano nuovi virus, Jeanneret e August furono tra-
sbordati, con un piccolissimo barchino, su un'isola deserta.
I loro abiti e la loro biancheria vennero bruciati. Jeanneret
dormí in una cella. Poi di nuovo il viaggio, ancora il mare, il
silenzio. Nei suoi diari – pubblicati solo dopo che un giorno
d'estate, all'età di cinquantaquattro anni, decise di tuffarsi

di nuovo nel Mediterraneo, smettendo di essere quel che era divenuto – confidò che quei tre giorni di mare impressero su di lui, nel suo animo, «una quiete instabile». In quel punto, in quel momento, quando qualcosa di decisivo sta per accadere, è possibile intravedere l'isola di quel che si diventerà?

Nel pomeriggio, con gli occhi fissi sulla linea dell'orizzonte, quando gli spazi suggerivano «la misura piú percettibile dell'assoluto», Jeanneret intravide la piramide dell'Athos. Arrivata all'improvviso, sembrava una maestosa statua eretta nel giro di pochi istanti. Duemila metri e piú. I compagni di quel viaggio, i pellegrini e i poveri, sotto la fascinazione di quell'immagine s'ammutolirono. Le eliche si fermarono. Si sentiva solo il cigolio della catena dell'ancora immersa nell'immobilità delle acque.

Sull'isola Jeanneret trascorse diciotto giorni. Fu colpito dalle costruzioni dei monasteri. Osservò la pietra e la meditazione. Convisse con la semplicità e l'assoluto. I granelli di sabbia del viaggio scesero lenti e si depositarono sul terreno da cui sarebbe germogliata la pianta di ciò che sarebbe diventato. Gli ulivi, i mandorli, i limoni. Quando poi il viaggio cominciò a distillare le ultime gocce, l'attenzione si fece ancor piú acuta. Sulla nave che lo portava verso Atene e verso il suo futuro, guardò ancora in direzione dell'isola, gettò ancora uno sguardo per trattenere «i suoi pendii costellati di fortezze, di monaci neri, merli e mura».

A bordo, tra passeggeri e uomini d'equipaggio, erano in pochi. Qualcuno andava a Gerusalemme, altri scappavano da Łódź e da Kiev. C'erano persiani e caucasici diretti verso la Mecca. Altri ancora, per fuggire dalle persecuzioni turche, si sarebbero imbarcati per gli Stati Uniti. Per Jeanneret ognuno di quei viaggiatori era «assillato da un sogno, da un'aspirazione, da una follia». Quando quel monte cosí elusivo e misterioso scomparve, all'orizzonte apparve, al suo posto, un numero infinito di stelle. Ciascuno di loro, Jeanneret e tutti gli altri sulla nave, presto avrebbe raggiunto l'isola di ciò che sarebbe diventato sospinto da un sogno, un'aspirazione, una follia. E da lí, da quell'approdo, senza sapere fino in fondo se vi fosse giunto nonostante il Dna o proprio in ragione di quello, dalla sponda di una nuova maturità conquistata o sopraggiunta senza volere, avrebbe per sempre conservato il ricordo di quelle luci che arrivavano da un luogo e da un tempo lontanissimi. Come quella doppia elica che ciascuno di noi porta annidata, quasi in numero infinito, dentro le proprie cellule.

Attese e ritorni

Ritorno di un cronopio

Intraprendere il viaggio che conduce dove si è stati adulti per la prima volta è una faccenda non da poco. Non si può farlo se non si è in gran forma e senza che si abbia, oltre a ottimi livelli di potassio, sodio e magnesio nel sangue, anche una certa dose di coraggio e avventatezza, di amore e struggimento. Andare nel luogo in cui si è stati adulti per la prima volta richiede la perizia di un astronauta che tocca con il piede il suolo lunare senza farsi portar via. Andare vorrà dire prepararsi come ci si prepara ad avvicinarsi a una stella perduta e lontana, come quando ci si appresta a misurarsi con la distanza e il tempo. Perché dapprima, una volta giunti, è possibile che neppure si riconoscano le coordinate di quel luogo, tanto che lo si potrà percepire estraneo a causa dei cambiamenti e delle persone che non ci sono piú. O forse perché siamo cambiati noi stessi o ci cambierà proprio quell'avventatezza che ci ha spinti a tornare fin laggiú.

Quando Julio Cortázar partí per Mendoza, la città ai piedi delle Ande che sembra quasi sospinta contro la cordigliera dei monti, lontanissima da Buenos Aires, rintanata nel cuore piú profondo e interno dell'Argentina, erano trascorsi trent'anni dall'ultima volta che c'era stato. Anche se per una vita intera era stato lontano dall'Argentina, l'aveva sempre portata dentro di sé. Al punto che proprio l'Argentina gli diede il nutrimento per scrivere, nella stanza di un appartamento parigino o chissà in quale altrove, un'opera che, almeno nelle sue intenzioni, era molto argentina. Eppure quel ricordo lo lacerava incurabilmente. Perché è crudele il ricordo che trattiene e rammenta, nonostante siamo lontani e separati da ciò che è stato. Perché è dolcissimo il ricordo che trattiene e rammenta e ci tiene legati a quel che è stato. Quando Julio partí per quel viaggio di ritorno, lo fece come solo un cronopio poteva, sognando di trovare la città in festa e sapendo che «le speranze, sedentarie, sono come le statue ... Bisogna fare un viaggio per vederle, perché loro non si disturbano».

Era il 1973 e a Santiago del Cile Julio aveva appena incontrato Salvador Allende, l'uomo della speranza, quella che anche nei paesi latino-americani si potesse vivere in una democrazia aperta e serena. Con una certa dose di entusiasmo salí sul treno. Dal finestrino si sarà ricordato del viaggio che fece, appena ventinovenne, per andare a Mendoza, dove avrebbe insegnato all'università: letteratura francese e letteratura inglese. Letteratura, certo, ma soprattutto poesia. In quei primi ottanta chilometri che separano Santiago del Cile da Santa María de los Andes dovette faticare non poco a non pensare all'8 luglio del 1944, quando con Ireneo Cruz prese il treno che lo portò a Mendoza. Lí, in quella città, per la prima volta entrò in un'aula universitaria da docente e pronunciò il nome di Baudelaire, citò una frase di John Keats e lesse una traduzione di Rilke. Fu per lui un'indescrivibile felicità. Cosí come lo furono la vista delle montagne, il clima magnifico, le cime, i pioppi e il rumore delle acque. Anche se si trovava a mille chilometri da Buenos Aires. Fu a Mendoza che mise a punto la sua «minuziosa formazione alla solitudine». Lí smise di essere Julio Denis, l'alter ego che fino ad allora era servito alla sua timidezza per scrivere e pubblicare, e cominciò a essere Julio Cortázar. A Mendoza trovò quella voce inafferrabile, vivace, pura, incantatoria, colta, eppure ancora gioiosamente infantile, del Gran Cronopio.

Speranze e felicità. Mettersi in viaggio verso il luogo in cui si è stati adulti per la prima volta può avere delle implicazioni positive. Può accadere, infatti, mentre ci inoltriamo nella foresta dei giorni che è cresciuta a dismisura, di trovare per terra, in un cespuglio, mescolato con tutto quello che ci è estraneo, un frammento di ciò che siamo stati e di chinarci a raccoglierlo. E provare in quell'istante la vertigine che il tempo trascorso e il tempo che stiamo vivendo si accostino. Quel frammento, per Julio Cortázar, sarebbero stati gli amici a cui era rimasto legato. Quel frammento, a Mendoza, sarebbero stati il carissimo amico Sergio Sergi e sua moglie.

Da Los Andes Julio salí a bordo del Transandino, il treno che si ostinava ad attraversare una delle catene montuose piú lunghe del mondo, uno dei luoghi piú impressionanti e impensabili. Altitudini infinite e pochissimi passaggi che permettono di valicarle. Era come voleva che fosse. Da lí se n'era andato trent'anni prima e da lí voleva tornare, sempre attraverso le Ande. Anche dopo tutto quel tempo. I confini stessi di Cile e Argentina erano cambiati. Erano stati luoghi di battaglia. Di transazione e transizione. Cosí il presente con il passato. Sarmiento, Neruda, Antoine Saint-Exupéry. Ciascuno si era misurato, a piedi o in volo, con quei luoghi, con quei passaggi. Ciascuno a modo suo. Le tempeste di neve che assillano le vette. Anche Ernesto Che Guevara aveva attraversato le Ande. Anche lui, durante quel viaggio in motocicletta che gli fece scoprire le ferite di un intero continente, era passato per Santa María de los Andes. Arrivava dall'Argentina, da ciò che era stato fino ad allora, il figlio di un medico, e andava verso il Cile e il Perú, verso quei luoghi e quel tempo in cui sarebbe diventato adulto per la prima volta. Come un fratello piú giovane di Cortázar, un fratello che viaggiava nel senso inverso.

Dopo solo sessanta chilometri, superati San Pablo, il Salto del Soldado e il Río Blanco, alla stazione di El Portillo Julio si ritrovò già nel mezzo dei paesaggi che voleva riscoprire. Fu naturale, a 2867 metri di altitudine, rammentare qualcuna delle ragioni che lo avevano spinto, trent'anni prima, a lasciare Mendoza. A lasciare quella città che gli aveva concesso molto. Lui che aveva lasciato Chivilcoy perché accusato di essere comunista, trotzkista, fu qualificato a Mendoza come fascista, nazista e falangista. Era quello il motivo per cui alla fine aveva lasciato l'università? Era per quello che preferí rinunciare alla cattedra, mentre Perón vinceva le elezioni? Per non vedersi obbligato a «sacarse el saco», a rinunciare alle proprie convinzioni?

Il treno scendeva. I rifugi, le *casuchas* tra Santa Rosa de Los Andes e Mendoza costruite nel XVIII secolo per ordine del viceré del Perú affinché servissero da rifugio ai postini e ai viaggiatori durante le tempeste di neve. Costruite al tempo del dominio spagnolo. Il passato e il presente. Il potere e l'intelligenza. La forza e la voglia di scrivere, di lasciar respirare la propria creatività. Le proprie convinzioni. Il pensiero sempre piú insistente che alla politica, per il bene degli altri, si dovesse dedicare piú tempo. Piú di quanto aveva fatto fino ad allora. Alla politica cosí come era stata incarnata e vissuta da Che Guevara, a cui Julio guardava come a un fratello che non aveva mai incontrato, ma a cui aveva «voluto bene a modo suo». Un fratello che gli mostrava, dietro la notte, la stella da seguire.

Il treno proseguiva la sua difficile corsa non solo per ragioni orografiche, per le altitudini e il respiro che a volte finiva per mancare. Quattro vagoni sporchi. Julio indossava dei pantaloni azzurri e una camicia celeste. La barba folta che oramai lo caratterizzava. Il volto sempre da ragazzo. Altissimo. Con sé aveva una valigia pesante e un borsone. Sognava di viaggiare da solo, ma sul treno non gli fu possibile. Alla fine qualcuno veniva sempre attratto dal Gran Cronopio. Persino una ragazza con un enorme sombrero. Arrivarono a Los Caracoles, a quasi 3200 metri. Poi la lunga galleria di oltre tre chilometri. Cumbre del Túnel. Alla stazione di Mendoza, Julio sapeva che ad aspettarlo c'era Sergio Sergi. Con lui, trent'anni prima, aveva condiviso molte cose. Avrebbe rivisto anche Gladys, la moglie da cui Sergio era separato?

Avrebbe ritrovato, nella foresta dei giorni cresciuta nel tempo, i frammenti luminosi di quegli anni?

Il treno cominciò a scendere rapidamente. Puente del Inca, Polvaredas, Uspallata, Cacheuta. Il convoglio arrivò al binario tre della stazione di Mendoza quando era già notte. Un cielo basso e cupo. Poche persone sulla banchina. Tra loro Julio intravide l'amico caro. Sergio lo accompagnò all'albergo. Dopo undici ore di viaggio, Julio era stanchissimo. Il passaggio delle Ande, le emozioni vissute durante il ritorno lo avevano provato. Ma, come un cronopio, sapeva che quelle cose succedono a tutti e dovette dormire felice. Il giorno dopo, a un giovane Osvaldo Soriano reporter della «Opinión» disse: «Di Mendoza ricordo il rumore dell'acqua nelle rogge e l'odore dell'aria». Secondo quanto riportato da Soriano, quel primo giorno in Argentina Julio comprò *cigarillos negros* e a colazione mangiò due porzioni di *pizza de fonda*.

Cortázar cominciò a poggiare i piedi sul pianeta del passato. Nei giorni successivi, insieme a Sergi, il figlio e la nuora, andò fino a Potrerillos e Uspallata, verso le Ande. Voleva vedere gli alti pioppi mossi dal vento. A Potrerillos Cortázar e Sergi giocarono come bambini. Il suo corpo lungo su un'altalena e il suo sorriso bambinesco testimoniano quella gioia recuperata. Con loro c'erano anche Gladys, un po' di malinconia e l'ebrezza della gioia. Sarebbe rimasto a Mendoza ancora pochi giorni. Non si può mai rimanere troppo a lungo nel pianeta che è stato il nostro passato. Il rischio è di perdere il respiro, nonostante si abbia nella giusta proporzione magnesio, potassio e sodio. Amore e avventatezza. Struggimento e coraggio. Cosí da quel pianeta, come un astronauta, come un cronopio, Cortázar si allontanò di nuovo.

Dopo pochissimi mesi, a giugno, Sergi non c'era piú. A Gladys, per la quale Julio aveva provato quella specie di sentimento che gli umani chiamano amore, ma di un tipo pudico, trattenuto e purissimo, provò a scrivere parole che arrivassero ancora vive anche laggiú, su quel pianeta del passato. «Fidati, – scrisse, – che io lo sapevo. Irrazionalmente, ovviamente, però ero sicuro che io e Sergio ci stavamo vedendo per l'ultima volta. Qualche volta mi è di consolazione sapere che se ero a Mendoza lo ero per lui, perché sapevo che desiderava vedermi e ricordare i vecchi tempi. E credimi che ho vissuto dei momenti molto penosi, per la sensazione dell'irreversibile, del quasi postumo (per Sergio e per me, per questo incontro dopo tantissimi anni)». E per il Cronopio fu come essersi perduto. Solo il pensiero dell'altalena, di loro tre sull'altalena, gli restituí quella dose di allegrezza e struggimento, simpatia e vitalità, che si raccomanda sempre di avere, anche quando si prova un intenso e profondissimo dolore.

Attimi rubati

Sentire il suono pieno nell'archetto, nel violoncello, nelle dita, nel cuore e nelle gambe. Sentire il contatto dei polpastrelli sulla rugosità delle corde, le vertebre che si inarcano. Sentire le gambe che spingono i piedi sul palco, dentro il cuore, dentro il vortice silenzioso dei pensieri, dentro il cavo muto delle paure. Trovare il tempo per quegli attimi di *rubato*, di sospensione, in cui non solo la nota, o il silenzio, ma la vita tutta pare durare di piú. Trovare il modo per dilatare una nota di un frammento di secondo, per ampliare una pausa. Trovare il modo per recuperare una scheggia di tempo universale.

Jacqueline Du Pré si era appena esibita nel concerto per violoncello scritto da Edward Elgar. Era la sera del 3 gennaio del 1967 e Jacqueline non aveva ancora compiuto ventidue anni. Era lontana dalla sua Londra, dalle strade che in minigonna, come tante giovani della sua età, attraversava con voracità e con la grande custodia del violoncello. Era salita sul palco alla Smetana Hall di Praga. Era una sera freddissima, come possono esserlo solo le sere fredde di Praga. L'edificio ostentava all'esterno lo stile neobarocco e neorinascimentale. Dentro, le luci si accontentavano di scaldare le decorazioni art nouveau, i dipinti con i motivi slavi, i soffitti con le vetrate colorate e le lampade dorate. Jacqueline si era guardata intorno, una meraviglia, una gioia, aveva pensato. Quella musica che aveva appena suonato, quel vento che le

sembrava di aver sentito. Il brivido che era risalito lungo la
spina dorsale. L'urgenza, il desiderio, la voglia di vita. Dietro di lei, con lei, c'erano l'orchestra della Bbc e il direttore
John Barbirolli. Jacqueline aveva suonato con quel suo modo
di prendere il tempo, di rallentare, di cospirare con la tensio-
ne della melodia. Che la vita aspetti, che diventi ancor piú
piena. Barbirolli, pur conoscendola, non sapeva mai bene se
sarebbe riuscito a seguirne fino in fondo, con l'orchestra,
l'umore, le maniere di tradire il tempo e, in qualche modo,
di riscattarlo fino all'estrema melodia. Quando Mstislav
Leopol'dovič Rostropovič, da cui Jacqueline, anni prima, era
andata per imparare, eseguí la stessa composizione, persino
lui non riuscí a toccare l'emozione e l'intensità raggiunte da
Jacqueline. Forse perché quella musica andava eseguita proprio cosí, cospirando con la melodia, con tutte quelle attese,
quelle sospensioni, dilatazioni, con quel piccolo furto all'u-
niverso del tempo musicale.

Jaqueline si era allontanata da Londra quando stava per
accadere qualcosa che nella vita aveva atteso a lungo. Aveva deciso di partecipare alla tournée dell'orchestra della Bbc
nell'Est Europa nonostante avesse appena intuito che l'incontro di Capodanno le avrebbe portato ciò che aspettava da
sempre. Ma quando cominciò quel viaggio non ebbe la sensazione di fuggire, di voltare le spalle a qualcosa, piuttosto si
sentí convinta che la vita cominciava a girarle intorno. Nel
suono del violoncello, in quello che sarebbe avvenuto. Partire, semmai, le serviva a capire, a fissare, a imprimere meglio
quel sentimento. A indagare, in occasione di quell'assenza,
quale fosse il modo migliore, se mai ce ne fosse stato uno, di
assaporare ciò che sarebbe venuto. Quel viaggio l'avrebbe
resa migliore e la meraviglia che provava l'avrebbe portata
all'incontro con chi l'aspettava al ritorno.

Il mattino seguente, quando la temperatura era ancora
sotto zero, presero il treno per Varsavia. L'intera orchestra
era attesa per la successiva tappa della tournée. Quando arrivarono alla stazione erano piú di cento. C'era anche Sir John

Barbirolli, con i suoi quasi settant'anni, il cappello a falde larghe e l'esperienza da giramondo. C'era anche un impettito Pierre Boulez, poco piú che quarantenne. Tutti con quei soprabiti ingombranti a cui costringeva il freddo. Tutti con quella fremente emozione che si ha prima di un viaggio che non si è mai fatto, con quella strana vertigine che si prova prima di un concerto. Il regista della Bbc, Nat Crosby, era salito sul treno con due telecamere e qualche luce per illuminare i volti e le figure nel chiuso dei vagoni. Giusto il minimo indispensabile, senza essere troppo invadenti nei confronti dei musicisti. C'era un intero vagone per gli strumenti e gli orchestrali. Le parole, i racconti, i suoni. Ciascuno se ne stava lí a provare, sia con il treno fermo sia con il treno in movimento. Il viaggio di un'orchestra in treno è una sinfonia di per sé. Un'invocazione alla vita e al viaggio.

Il treno attraversò la Boemia centrale, costeggiò il fiume Elba. Poi, dopo Kolín, si inoltrò nella regione di Pardubice. In una di quelle riprese della Bbc si vede Jacqueline con il volto coperto quasi completamente dai capelli biondo cenere mentre prova la sua esecuzione. Dal finestrino scorre il paesaggio, poi un treno nella direzione opposta. In un'altra breve sequenza Jacqueline canta una melodia allegra accompagnandosi al violoncello, prima di esplodere in una risata fragorosa in cui mostra i denti imperfetti e una folgorante voglia di vita.

Il treno andò verso la Moravia. Superò Zábřeh, Olomouc e Hranice. Si avvicinava rapidamente al confine con la Polonia. Le case di Bohumín, le pompe di benzina senza neppure una vettura, tre braccianti fermi a parlare. I salici piangenti. Una bici poggiata davanti a un negozio di salumi. Le stradine in terra battuta che si inoltravano nei campi. Il paesaggio pieno di neve. Con i compagni di viaggio, Jacqueline non faceva che parlare di Barenboim. Erano trascorsi solo cinque giorni dal Capodanno passato a suonare per ore e ore con Daniel, il pianista che stava conquistando un po' tutti. Le erano rimasti impressi i capelli neri crespi, la spigliatezza, l'allegria, la presunzione, l'ossessione per la musica, il modo in cui la guardava mentre suonava. Il modo in cui suonava quando lei suonava. Il piacere della musica, il contatto fisico con lo strumento, la voglia di trasmettere tutta l'energia che scorre nelle vene a quel corpo di legno, corde e aria. Far vibrare il suono. Il suono che gira nell'aria. Nella distanza, nella sospensione, lei sembrava trarre certezza. Se n'era andata da Londra, forse, non solo perché aveva preso l'impegno di partecipare alla tournée. Non solo perché amava suonare. Ma anche perché le serviva per capire. La vita, che sa essere feroce e compassionevole, indifferente e vicina alle sorti dei piú fragili, dei piú dolci, dei piú desiderosi di felicità. Quale volto le avrebbe mostrato? Le avrebbe lasciato prendere quello che voleva?

Quando arrivarono alla frontiera, il tour manager Anthony Phillips, che alla reception dell'albergo aveva ritirato i centoventi passaporti, scoprí di aver dimenticato il suo. La persona che aveva organizzato la tournée fu l'unica che non riuscí a passare il confine e proseguire. Il direttore dell'orchestra, Barbirolli, il piú navigato di tutti, capí che era necessario intervenire, ma anche per lui ci fu poco da fare. Non gli restò, per non lasciare al gelo il manager, che passargli una bottiglia di brandy dal finestrino del vagone già in movimento. Gli orchestrali videro i mattoni rossi anneriti dell'edificio della stazione di Chałupki, i tre gradini bianchi, l'unico binario e seguirono il treno entrare in Polonia, nella bassa Slesia, per poi salire verso Wodzisław Śląski e Rybnik. Mancavano quasi trecento chilometri a Varsavia.

Quella sera, a Varsavia, si esibirono con l'orchestra altri due solisti, il soprano Heather Harper e il pianista John Ogdon. Jacqueline Du Pré non suonò il concerto per violoncello di Elgar. Era già distante. Il viaggio e gli attimi rubati avevano certificato il sentimento per Daniel. La poetessa polacca Anna Swir, che sarebbe nata a Varsavia qualche anno dopo il viaggio di Jacqueline Du Pré, ha scritto in una poesia: «Sono ricolma di amore. Sono ricolma di amore, come

un grande albero – di vento, come una spugna – di oceano».
Dopo il concerto molti degli orchestrali, tra cui Jacqueline,
Sir John Barbirolli e sua moglie, cenarono al ristorante dell'albergo al lume di candela. Due giovani ragazze del posto suo-
narono alcune serenate per violino. Il regista Nat Crosby riuscí finalmente a ballare con Jacqueline Du Pré. Quella sera,
confidò, vista cosí da vicino era incantevole.

Jacqueline Du Pré e Daniel Barenboim si sposarono il 15
giugno del 1967, solo qualche mese dopo essersi conosciuti.
Solo qualche mese dopo quella tournée nell'Est Europa. Sarebbe poi arrivata la malattia, molto presto, troppo presto.
Sarebbe poi scomparso il vento, sarebbe divenuto impalpabile
il suono nell'archetto, nel violoncello, nelle dita, nel cuore e
nelle gambe. Sarebbe scomparso il contatto dei polpastrelli con la rugosità delle corde, la spinta sulle vertebre che si
inarcano, la forza che spinge i piedi contro il palco, dentro
il cuore, dentro il vortice silenzioso dei pensieri, dentro il
cavo muto delle paure. Sarebbero rimasti, per sempre, quegli istanti di silenzio in piú, quegli attimi di *rubato* e quelle
note prolungate. Sarebbe rimasta l'attesa di ciò che sarebbe
venuto, quella sospensione in cui Jacqueline si illuse che la
vita sarebbe durata a lungo e le avrebbe dato tutto quello di
cui aveva un disperato bisogno.

Ripiegando la mappa del mondo

Le tempeste tropicali, l'educazione britannica, le strade di Durban. Il Sudafrica. Il breve intermezzo alle Azzorre. Poi di nuovo il ritorno in quella città sull'Oceano Indiano. Cosí trascorreva la gioventú di Fernando Pessoa. Era arrivato in quell'estremo lembo sud dell'Africa, in quella colonia inglese, quando aveva sette anni. E aveva già quel suo modo composto e riservato di stare con gli altri. Nei giorni che seguirono ci furono i primi passi lontano da casa fino alla scuola. C'era Vera Nicholas, la figlia del preside, appena intravista su una bicicletta, con la camicia bianca e il cappellino di paglia. Le strade lunghissime, le pagine di Dickens lette nei pomeriggi intorpiditi. Il patrigno, il console João Miguél Rosa, l'uomo che aveva sposato sua madre dopo la morte del padre Joaquim de Seabra Pessoa, immaginava per sé e per la nuova famiglia la permanenza e l'integrazione in quella colonia, in quella città dove vivevano quasi solo bianchi. In quella città lontanissima dal Portogallo, lontanissima da Lisbona.

C'era il cottage con il patio e gli scalini su cui qualche volta si sedeva. C'era Lisbona rivista solo in vacanza. L'estate del 1901 che trascorse cosí. Poi di nuovo il Sudafrica, il cottage, il silenzio delle notti e le tempeste tropicali che lo terrorizzavano. I fratellini Luis Miguel e João Maria. Poi le sorelline, Henriqueta Madalena e Maria Clara. Quelle vite esili durate pochissimo. Qualche anno e nulla piú. Lui che cresceva, figlio maggiore in quella terra lontana. L'immagine di sua madre Maria Magdalena in veranda, con il gomito poggiato sulla spalliera della sedia di bambú. L'acconciatura d'epoca e i capelli che diventavano bianchi, tanto da somigliare sempre di piú alla madre della madre. Lo sguardo triste e malinconico di lei verso la strada. Qualche volta era seduta a leggere alcune riviste. Erano questi gli spazi lontani, i luoghi da raggiungere per trovare quel che di esotico il mondo disponeva? Era questo il mondo lontano? Ancora qualche giorno, ancora poco.

Quando ebbe appena compiuto diciassette anni, nell'agosto del 1905 Fernando Pessoa, il poeta che non era ancora un poeta ma che sarebbe diventato un'intera letteratura, decise di partire e tornarsene da solo a Lisbona. Decise di scuotere l'albero immobile di quella sonnolenta adolescenza sudafricana e intraprendere il viaggio che lo avrebbe riportato in Portogallo. Partí senza la famiglia, lontano dal cottage, da quel patio coloniale, da quegli scalini tristi e da quei temporali terribili.

Il 28 agosto s'imbarcò dal porto di Durban sul piroscafo *Herzog*. Una di quelle imbarcazioni costruite per sostenere gli interessi coloniali tedeschi. Il capitano era un tale di nome Weisskam. Avrebbe costeggiato tutta l'Africa orientale. Tra i passeggeri di prima e seconda classe, forse per timidezza, titubanza o distrazione, Pessoa fu il penultimo a salire. Il piroscafo, prima di arrivare a Durban, era salpato da Swakopmund, in Namibia. Poi aveva passato Città del Capo. A bordo c'erano già molti passeggeri. Quasi tutti piú grandi di lui, quasi tutti piú maturi di quel giovane che dall'aspetto, seppure serio e ben vestito, sembrava piú piccolo di quel che era. Ma dentro, al di là di quell'apparenza esile, andava crescendo una maturità insolita, poetica e abissale. Era già stato da solo su quel piroscafo. Appena quattordicenne era tornato a Durban dalle Azzorre prima che lo facesse tutta la famiglia. La voglia di scappare. Di tornarsene indietro. Forse di rivedere, anche solo da lontano, Vera Nicholas, la figlia del preside in bicicletta con la camicia bianca e il cappellino di paglia.

La nave risalí la costa. Superò il profilo orientale del Sudafrica, si avvicinò alle coste basse del Mozambico e cominciò
le manovre per entrare nella baia di Maputo. Allora la città
si chiamava ancora Lourenço Marques, in onore dell'esploratore portoghese. Sarebbero dovuti passare altri settant'anni
prima che, ottenuta l'indipendenza, prendesse il nome dal
fiume che, con i suoi ippopotami e coccodrilli, nasce dalle
vette del Monte dei Draghi. Al molo altre navi, altri destini.
In una poesia, che Fernando scriverà con il nome di Álvaro
de Campos, parlò di «Navi che varcano la barra, le navi che
escono dai porti, le navi che passano lontano». Fu quasi uno
stordimento, il pensiero in cui si perse: «Tutte queste navi, quasi astratte nel loro andare, tutte queste navi cosí, mi
commuovono come se fossero qualcos'altro e non soltanto
navi, navi che vanno e vengono». Le navi parvero anticipare
quel che poi avrebbe saputo scrivere delle nuvole, di quelle
forme aeree ed effimere che attraggono e paiono raccontare
qualcosa che vorremmo, ma non riusciamo a comprendere:
«Continuano a passare, continuano ancora a passare, passe-
ranno sempre continuamente, in una sfilza discontinua di
matasse opache, come il prolungamento diffuso di un falso
cielo disfatto».

Antonio Tabucchi, che da Pessoa rimase cosí incantato
da finire quasi per impersonarne un altro eteronimo, in un
racconto narra di un giovane portoghese, laureato in scienze
coloniali, che fa il viaggio contrario e sceglie l'Africa. S'im-
barca da Lisbona per fuggire il Chiado, il caffè della Bra-
sileira, le vacanze estive a Cascais. Descrive il Mozambico
come una colonia abitata da gente bizzarra e da grandi soli-
tudini. Abitata da inquietanti ombre servizievoli e da figure
avventuriere.

Fernando non era né un'ombra servizievole, né una figura avventuriera. Sul piroscafo se ne stava silenzioso. Ma non
sempre. A Maputo salirono la signorina Eugenie Effenberg,
la signorina Louise Smeets e il signor Abrahão Soares. Li
seguí con lo sguardo. Immaginò cosa portassero con loro da

quella città. L'acconciatura dei capelli, il merletto delle maniche, la posa del labbro inferiore. Ogni elemento gli doveva sembrare un indizio, una traccia da seguire. Qualcosa cominciava a suonare dentro di lui, a muoversi, come l'animo di piú persone, come chi prova a capire tutto quello che accade fuori. La sua anima, arrivò a dire piú tardi, era una misteriosa orchestra. Ma non sapeva quali strumenti suonassero dentro di lui.

Il tempo del viaggio aveva le sembianze di quel che è infinito. L'Oceano Indiano, «il piú misterioso degli oceani tutti». Poi la Tanzania, Dar es Salaam, i grandi viali e le mangrovie. Aden, il mar d'Arabia, il Canale di Suez. La vita a bordo è una cosa triste, confessò in quel resoconto fittizio, per lui però innegabilmente piú reale della realtà, che compilò in *Opiario*, la poesia scritta da Álvaro de Campos, uno dei tanti altri sé che convivevano in lui. Era triste nonostante qualche volta la gente sembrasse divertirsi. Ogni tanto Fernando parlava con i passeggeri di altre nazionalità. Doveva ringraziare quel suo inglese perfetto. Qualche parola con i tedeschi, qualche discorso con gli inglesi. Poi se ne tornava a guardare l'orizzonte.

I giorni passavano e Pessoa andava, giorno dopo giorno, circumnavigando l'intera costa orientale dell'Africa, un mondo meraviglioso e terribile che sedusse e avrebbe sedotto intere generazioni. Ma nel suo repentino e solitario viaggio, quel che vide non fu in grado di ammaliarlo e di suscitare in lui le evocazioni dei grandi viaggiatori. Il suo, d'altronde, non era solo un viaggio. Era il primo gesto di una rivolta personale, il primo atto di quella creazione unica in cui il mondo esterno, geografico e cartografico, navigabile e percorribile, cominciava a smettere di esistere. Come se il mondo intero rappresentasse per lui un'alternativa ingombrante in opposizione a quel che gli nasceva e gli si agitava dentro. Il viaggio che compiva era, paradossalmente, il modo con cui rinunciava definitivamente al mondo da esplorare. Era il primo passo, il primo movimento di quella presa d'atto che si andava radi-

cando dentro di lui. Un vero viaggiatore, disse poi, è chi sa
«quanto sia non solo migliore ma piú vero sognare Bordeaux
che sbarcare a Bordeaux».

A ogni tappa, Maputo, Dar es Salaam, Port Said, mentre
il piroscafo srotolava il suo percorso, lui ripiegava minuziosa-
mente la gigantesca mappa del pianeta Terra e la infilava nella
tasca interna del proprio abissale animo. Il volto di profilo, i
baffi appena accennati di un adolescente. Quel desiderio di
non iscriversi ad alcuna scuola. Le discussioni con la madre
e il patrigno nella villa di Durban. Gli scalini scesi e saliti
piú volte. Gli amici che lo ricordavano come introverso ma
divertente e affascinante. Silenzioso e arguto.

Poi il piroscafo entrò nel Mediterraneo. Per lui quel mare
era «privo di misteri, fatto apposta per sciabordare contro
terrazze guardate da statue bianche in giardini contigui».
Per arrivare alla meta mancava ancora molto. Ora che era
in viaggio, si accorgeva sempre piú chiaramente che il «nuovo essere», che tanto temeva, era entrato in azione e aveva
assunto una «vita umana». Cosí superò anche Gibilterra e
s'inoltrò nei precipizi abissali dell'Oceano Atlantico. Tutto
quello che voleva era tornare a Lisbona. In un frammento
che scriverà poi, quando si infilerà, o immaginerà di infi-
larsi, in una stanza d'ufficio di Rua dos Douradores, disse:
«So perfettamente che esistono isole del Sud e grandi pas-
sioni cosmopolite». Ma tutto questo per lui era davvero in-
finitamente piú piccolo rispetto a quel che poteva avere. Se
avesse tenuto il mondo in pugno, era sicuro che lo avrebbe
scambiato con un biglietto per Rua dos Douradores. Al porto
di Lisbona, in quella città da cui tutti i *conquistadores* erano
partiti, lui giunse come l'esploratore di un'infinita parte di
mondo che era racchiusa dentro di sé.

Il sorriso della tigre

Ci sono quei cammini che si percorrono per tutta una vita. Che sembrano il luogo dell'eterno ritorno. I luoghi del conforto e della consuetudine. Pure se l'irrequietezza spinge l'anima, la smuove e l'agita. Pure se la tranquillità non si trova mai. Si esce di casa, si guarda appena la finestra alle nostre spalle dove s'affaccia qualcuno che saluta. La donna a cui siamo legati da una vita, una moglie, una madre. Il cammino è a pochi passi da casa, eppure somiglia a una vertigine, sospende verso il vuoto, richiama e distrae. Espone al paesaggio, lascia senza fiato, stanca e poi di nuovo riconduce a casa. Un altro giorno ancora. Lo stesso cammino. Poi però quel cammino, quello stesso percorso, all'improvviso porta in un posto in cui non pensavamo mai di giungere.

Cosí facevano William e Samuel Beckett in quello spazio di natura dei monti Wicklow. Cosí facevano, il padre e il figlio. Non troppo lontano da Dublino, non troppo lontano da casa, non troppo lontano da Cooldrinagh, a Foxrock, da quella casa da cui si affaccia una donna per salutare, una moglie, una madre. Non troppo lontano da dove la natura si lascia andare alle acque, alle altitudini, al verde luminescente, al rovescio del vento che prende alle spalle e spinge ad andare. Quei piccoli laghi, quei sassi, i rilievi. Prima William si incamminava da solo. Senza chiedere nulla. Senza cercare nulla. Era il suo unico viaggio. Il figlio cosa sarebbe diventato, si domandava in quei giri. La passione per le moto. La

scrittura. Lo avrebbe forse voluto professore. Lui che dei libri
non sapeva nulla. Neppure gli interessavano. Ma il figlio gli
piaceva. Pure cosí rabbioso. Inquieto. William, che passava
i pomeriggi a leggere romanzi gialli senza ricordarne neppure la trama quando arrivava all'ultima pagina. E Samuel, che
viveva quella rabbia, quell'inquietudine, con il cuore che batteva fortissimo, e la voglia di scrivere, di trovare nelle parole
il modo di scardinare il mondo.

Il cammino vicino casa. La smussata vetta del Kippure,
la montagna di granito, le dolci pendenze, i corsi d'acqua
che vanno verso il fiume Liffey. La vista su Dublino. I passi lentissimi. Samuel, che quando era in moto correva senza
freni e finiva quasi sempre contro qualcosa, una pietra, un
bus. Fuori strada. Quando camminava, invece, camminava
pianissimo. Poi divenne professore. Come voleva William,
come voleva suo padre. Sempre a scrivere. L'irrequietezza,
la furia, il cuore che batte troppo forte. In una conferen-
za si mise a leggere un testo di Jean du Chas. E chi era lí
ad ascoltarlo probabilmente non si accorse di nulla, non si
accorse che era pura invenzione, che Jean du Chas non era
mai esistito. Estrema forma di intelligenza e irrequietezza.
Furia e bisogno di trovare il modo di scardinare il mondo.
Non poteva che dimettersi. Liberarsi ancora. Lasciare che
quella cattedra, nel chiuso delle grandi volte del Trinity College di Dublino, la prendesse qualcun altro. E allora partí
di nuovo. Alla fine, però, tornava sempre a Cooldrinagh. A
quel cammino. Alla compagnia del padre, cosí diverso da
lui, eppure cosí vicino.

William e Samuel cominciarono a percorrere insieme il
cammino sui monti Wicklow quando il padre non era piú cosí
forte. Ma c'era ancora tempo. Da lassú guardavano Dublino
verso Dún Laoghaire. Le baie, le insenature riservavano sempre qualcosa, un compenso a quella furia, a quella irrequietezza. Camminavano vicini. Un passo per uno. Nell'ultimo
libro, quello pieno di frammenti e tracce di storie, Samuel
scrisse anche di un bimbo e di un anziano che camminano

tenendosi per mano. Che avanzano lentamente, come se fossero un'unica cosa. Un'ombra. Un'altra ombra.

Poi il cammino smise di essere il conforto, anche se non era mai stato la requie, anche se mai aveva potuto frenare il battito del cuore, attenuare l'irrefrenabile necessità di andare, muoversi, guardare oltre, sbattere la testa da qualche parte. Il cammino segnò un passaggio, un cambiamento. Quello che Samuel dovette ma non seppe affrontare. Anche se sapeva correre e andare via, anche se sapeva trattare con il cuore che di notte batte fortissimo in gola.

Era la Pasqua del 1933. Samuel era rientrato ancora una volta a casa. Era tornato a Cooldrinagh. I suoi amici Bill e Frank erano andati in Galles. Lo avevano lasciato lí con la madre. Ancora la rabbia. Era passata la domenica. E poi il lunedí. Il giorno dopo Samuel prese la moto. Con la furia che lo contrassegnava. Con quell'inquietudine infinita. La vita che spinge sempre senza farsi comprendere, fino a farci impazzire. Il cuore che batte forte. Sempre troppo forte. Se accelerava in moto forse il cuore avrebbe rallentato. Si diresse verso l'estuario di Portrane, oltre Dublino, superò Malahide, il vento forte, la pioggia, la distesa. Poi tornò indietro dalla parte di Swords. Ancora la rabbia. E ancora di nuovo fuori, di nuovo a camminare. Con il padre. William. Eccolo, allora, il viaggio. Quello che ricorderai. Quello che ti cambierà. Il cammino che smette di essere routine, il passo conosciuto, il giro consueto, la vita che tiene tutto insieme. Quando erano ormai lontani da casa e se ne stavano lassú, con le spalle appoggiate a un roccione, a guardare il mare. S'impressionarono di nuovo. Ma non fu il paesaggio che li spinse a fermarsi. A ogni passo il padre era obbligato a prendere fiato. Non ce la faceva, ma per nasconderlo al figlio, per nascondere pudicamente quell'ultima e sofferta trasformazione, continuava a dire guarda laggiú. Non ce la faceva. La vita stava per fuggire via.

Un passo dopo l'altro. Insieme. Samuel si mise a parlare della cosmologia di Milton. Potevano capirsi, lui e William?

Samuel diceva che il padre era coltissimo, anche se la sera
non si ricordava nulla di quello che aveva letto il pomeriggio.
E camminarono ancora. Ma nulla era piú come prima. Piano,
il cammino sancí un cambiamento, una variazione, uno spo-
stamento di mondo. William era già qualcosa d'altro. Non
c'era nulla da dirgli. Niente da suggerirgli. Erano due mondi accostati, dentro i quali accadevano cose diversissime. Lo
stesso cammino, gli stessi passi, eppure quella direzione cosí
diversa. L'amore del figlio, la compassione fortissima. Fortissima come il cuore che batteva e lo teneva sveglio la notte.
Quegli ultimi passi. Gli ultimi passi. Solo pochi mesi. Il cammino ora non portava piú a casa. Solo qualche mese e William non ci sarebbe stato piú. Il cuore che batte fortissimo.
Le corse in moto. Ancora la velocità. La rabbia. L'irrequietezza. Il timore di non sapere piú dove andare. E quell'invocazione scritta proprio il giorno dell'ultimo viaggio con il
padre sui monti Wicklow: «E lascia che la tigre che presta
strade che portano a casa torni a sorridere nei nostri cuori».

I due oceani

Al pari di una terra bagnata da due oceani, il terreno dell'adolescenza, quella terra da cui, a un certo punto, si parte repentinamente, non è un luogo come gli altri. Chi ci ha vissuto, chi ci vive, lo sa. Conosce bene le insolite sollecitazioni a cui si viene sottoposti. I due oceani, la realtà vissuta e la realtà sognata, esercitano sugli abitanti effetti profondi e imprevedibili. La somma di quegli influssi, cosí diversi e quasi contraddittori, agiscono continuativamente, senza sosta, in maniera misteriosa. Di giorno e di notte. Le idee, i sogni, gli incontri, i desideri, le paure. Tutto si mescola. Quella malia, quelle influenze che arrivano dai due oceani fanno sí che, a chi abita ancora in quella terra, capiti di immaginare per sé, per quel che gli accadrà, qualcosa di unico e particolare. Capita che strani fiori comincino a crescere dentro la propria mente.

C'era già l'ombra dei primi baffi sul volto di Gabriel García Márquez quando si mise in viaggio. Era un costeño, aveva vissuto con i nonni materni ad Aracataca. Era cresciuto vicino al mare, in quella Colombia che si affaccia su due oceani. Al governo c'era il Partito Liberale guidato da Jorge Eliécer Gaitán. Mancavano cinque anni all'assassinio che avrebbe trascinato il paese nella violenza e nella ferocia. Gabriel non aveva neppure sedici anni, li avrebbe compiuti a marzo, quando sarebbe arrivato l'autunno. Lo chiamavano ancora Gabito. Stava trascorrendo l'estate con i genitori,

che non conosceva neppure cosí bene per quel poco di vita
che avevano condiviso. Era cresciuto, forse per fortuna, con
i nonni. In quei giorni la nonna Tranquilina era in ospedale
a Barranquilla. Si era operata di cataratta e il chirurgo, dopo
che le tolsero le bende, per verificare in maniera empirica la
riuscita dell'operazione le chiese di descrivere cosa vedesse.
La donna, felice di poter dire quello che le appariva davanti, cominciò a descrivere oggetti incredibili. Lo stupore del
dottore fu inevitabile: solo Gabriel sapeva che quelli erano
gli oggetti della sua stanza ad Aracataca. Solo Gabriel sapeva
che la nonna, seppure cieca, seppure l'avventata operazione
fosse fallita miseramente, continuava a vedere. Vedeva quel
che aveva vissuto.

Era la seconda settimana di gennaio quando dal porto di
Magangué, non lontano da Sucre, dove trascorreva l'estate
con i genitori, Gabriel s'imbarcò su un battello che andava a
sud, verso Puerto Salgar. Verso le pendici delle Ande Orien-
tali. Il naviglio si chiamava *David Arango*. Gabito si allontanava dall'estate e dal mare e andava lí dove avrebbe perso il
respiro. Dove non sapeva cosa avrebbe trovato. Ma quando
si parte, quando si lascia qualcosa, non si sa mai fino in fondo neppure quel che si sta lasciando.

Gabriel García Márquez rimase impressionato dai villaggi dimenticati, dai caimani con le fauci aperte, dalle farfalle
incaute, dagli stormi di fenicotteri, dalla dovizia delle ana-
tre nelle paludi interne e dai manati, quei trichechi caraibici
giganteschi che cantavano sulle spiagge mentre allattavano i
loro piccoli. A mano a mano che il battello procedeva, strani
pensieri cominciavano a crescere nella mente di Gabito, pensieri come fiori mai visti. L'idea che la ragazzina di cui si era
invaghito non l'avrebbe aspettato a Barranquilla, dove avevano portato a termine la scuola insieme. I baci, lo sfiorarsi
vertiginoso della pelle. Lei, però, aveva cominciato a pensare
a qualcun altro e Gabito voleva fuggire lontanissimo. Il sogno di continuare a studiare dove studiare voleva dire farlo
davvero, per imparare, far lievitare i pensieri, lasciare che la

mente venisse abitata da qualcosa di piú grande. Non voleva
seguire l'esempio dei fratelli e delle sorelle che erano rimasti
nelle piccole scuole locali, dove accade sempre meno di quel
che può accadere quando si va piú lontano. A Bogotá, dove
era diretto, dove lo portavano quegli strani pensieri, avrebbe provato a vincere una borsa di studio.

Sul battello c'erano altri giovani come lui, che forse erano
partiti dalla terra dei due oceani qualche anno prima, o anche
solo uno o due, e già, per quei pochi anni in piú, sembravano
cosí diversi, incomprensibili, apparentemente irraggiungibili.
Un giovane che suonava la fisarmonica come perduto in un
sogno camminò per giorni interi sul ponte di prima classe. Un
altro, piú robusto e senza capelli, se ne stava seduto su una
comoda poltrona con un bel po' di libri da leggere. Trattati di diritto pubblico e romanzi. Fra questi c'erano anche *Il
sosia* di Dostoevskij e *Il grande Meaulnes* di Alain-Fournier,
di cui Gabriel non aveva mai sentito parlare. Alla fermata
di La Gloria, nel dipartimento di Cesar, s'imbarcò anche un
gruppo di studenti che organizzava trii e quartetti e, di sera,
cantava serenate e boleri d'amore. Forse quei giovani gli apparivano molto piú simili a sé, a quello che era ancora, tanto che si uní a loro quasi ogni notte. Anche Alain-Fournier,
l'autore del libro misterioso che Gabito aveva visto tra le
mani del giovane dalla calvizie prematura, era partito con la
voglia di studiare. Ma non era riuscito ad accedere alla prestigiosa École normale supérieure. Avrebbe subito la stessa
sorte anche Gabito?

A Puerto Salgar, nel dipartimento di Cundinamarca, proprio al centro della Colombia, il clima era ancora tropicale.
Gran parte della distanza era stata colmata. Tutti quei giorni in battello sembravano un'eternità. Ma la cruna dell'ago
doveva ancora arrivare. Appena Gabriel salí sul treno, tutto
cominciò a cambiare. La locomotiva si trovava davanti un girovagare di salite che affrontò con estrema fatica. Il percorso
era cosí ripido che i passeggeri dovettero scendere dai vagoni
per alleggerire il convoglio. Camminavano a piedi lungo le

creste delle Ande. Era un luogo che Gabito non avrebbe mai potuto immaginare. Piú si saliva e piú era difficile respirare. I paesini lungo la strada, tristi e freddi. Alle stazioni le donne si avvicinavano ai finestrini con la mercanzia da vendere ai passeggeri esausti. Ma la cosa che piú sorprese Gabito, che piú lo trovò impreparato, fu il freddo. Sconosciuto e invisibile. Ineludibile e aggressivo.

Al crepuscolo attraversarono un'immensa savana, che ai suoi occhi apparve verde e meravigliosa. In treno l'atmosfera acquistò una nuova e piú ampia tranquillità. I giovani che sul battello avevano condiviso serate e pensieri e che durante l'ascesa si erano persi di vista, ciascuno concentrato sulla propria fatica, sul proprio affanno, su quel passaggio cosí complesso, una volta raggiunta la savana tornarono a cercarsi tra le vetrate dei vagoni. A un certo punto Gabriel vide farsi avanti il ragazzo che leggeva Alain-Fournier. Lo salutò. Quello si fermò proprio nel suo scompartimento e cominciò a parlargli. Lo stava cercando perché era rimasto rapito dai boleri che Gabito aveva cantato quelle notti sul battello. I boleri arrivano sempre al cuore, anche se a cantarli è un ragazzino. Gli chiese se poteva scrivergliene uno. Lo avrebbe cantato alla sua fidanzata di Bogotá. Gabriel non si tirò indietro. Anzi, lo spinse a provare proprio lí, davanti a lui. Mentre il giovane già cresciuto e dalla calvizie prematura prese a canticchiare il bolero e Gabriel, il *costeño* raggelato dall'altura e dal freddo, lo guardava soddisfatto per quel che era riuscito a insegnargli, i due, seduti di fronte, apparivano come una specie di riflesso distorto l'uno dell'altro. La realtà vissuta e la realtà immaginata. Gabriel invece di chiedergli di Alain-Fournier, del grande Meaulnes, gli chiese del libro di Dostoevskij. Ci teneva a quel libro introvabile. Aveva provato anche a rubarne una copia in libreria, senza riuscirci. Non sapeva ancora che nel grande Meaulnes avrebbe trovato qualcosa di sé. Non sapeva ancora che anche il grande Meaulnes andava verso un mondo che aveva immaginato a lungo, ma che temeva lo avrebbe deluso.

Il treno giunse a Bogotá. Gabriel prese il baule per la maniglia e lo trascinò giú. Si incamminò faticosamente in avanti, quando il giovane adulto, il ragazzo che aveva sentito il bisogno delle parole per cantare un bolero alla giovane di cui era innamorato, gli batté sulla spalla e gli consegnò senza neppure fermarsi *Il sosia* di Dostoevskij. Fu solo un attimo, il tempo di dargli il volume ed era già scomparso. I libri e gli amici. A quell'età sono piú di quel che sembrano, mettono in moto delle cose che non si possono prevedere. Gabriel aspettò don Eliécer Torres Arango, il parente che il padre aveva mobilitato affinché andasse a prendere suo figlio alla stazione. La casa in cui trascorse la prima notte era grande e confortevole, ma gli apparve spettrale. Il giardino buio, con le rose scure. Il freddo cosí serrato che pareva fargli a pezzi le ossa. A letto pianse a lungo. Poi cadde in un sonno infelice. Ripensò al viaggio, alla notte di luna piena trascorsa in battello, quando il silenzio venne interrotto da un lamento lacerante che veniva dalla riva. Quando il capitano Climaco Conde Abello diede ordine di cercare con i riflettori, videro una femmina di manato intrappolata fra i rami di un albero caduto. I marinai, forse solo nel suo ricordo, si buttarono in acqua e riuscirono a liberarla. A Gabriel parve una creatura fantastica e commovente, un po' donna, un po' mucca. Lunga quasi quattro metri. La pelle livida e morbida.

Tutto quello che lo aveva colpito durante il viaggio, tutta quella natura surreale e sovrabbondante, qualche anno dopo sarebbe scomparsa. Persino il fiume non sarebbe stato piú navigabile e il battello, lo stesso su cui aveva viaggiato, avrebbe preso fuoco. Solo nelle pagine surreali e sovrabbondanti che trovò il modo di scrivere in seguito, dopo aver vinto la borsa di studio a cui teneva molto e per cui aveva intrapreso quel viaggio lunghissimo come una vita intera, avrebbero ripreso vita e forma tangibile. Il mondo immaginario e il mondo vissuto, i due oceani, in quelle pagine si avvicinarono cosí tanto che le loro acque cominciarono, sorprendentemente, a mescolarsi.

Lacerazioni e riconquiste

In my solitude

Nella casa personalissima in cui abitiamo arriva un tempo in cui non ascoltiamo alcun rumore. Non una voce né sussurro di vento. Siamo seduti su una poltrona o una sedia vicino a una finestra. E forse ricordiamo. Forse rammentiamo. Quante sono le persone con cui abbiamo davvero condiviso qualcosa? Quante quelle di cui ci siamo fidati fino in fondo? Nella casa in cui abitiamo, riusciamo a intravedere qualche volto. Di chi è la voce che non arriva dall'altra stanza? Abbiamo fatto tutto il possibile affinché le cose non andassero come sono andate? C'è un tempo in cui ci avviciniamo a qualcuno che ci offre ristoro, che ci concede l'opportunità di guardare dalle finestre di una nuova casa e intravedere un nuovo paesaggio. Eppure la voce che non arriva dall'altra stanza è di un'altra persona. Forse di quella con cui piú di ogni altra abbiamo condiviso ciò che siamo stati. C'è un tempo in cui i due volti ci spingono ad affacciarci a due finestre che guardano in direzioni opposte. Il tempo breve della vita ci porta spesso al confine delle cose. Quando un amore sembra sul punto di finire e qualcos'altro sembra sul punto di offrirci un nuovo conforto. Lontani dalla radura assolata della gioventú, quando si è nel tempo della maturità e anche oltre, nel tempo in cui la vita pare piú esile e brillante, fragile e bellissima, partono due strade, ed entrambe conducono nel fitto di una foresta. Ma ce n'è anche una terza, piú solitaria. In quel momento, a quella svolta, a quel trivio, non è

semplice capire quale strada prenderemo. Non è facile capire
in che modo argineremo la perdita.

Quando il 29 maggio 1967 Elizabeth Bishop salí a Pirapora
sul battello che l'avrebbe portata lungo il Rio São Francisco,
non conosceva ancora quale strada avrebbe preso. Il medico
che aveva in cura Lota le aveva detto di tenersi lontana da
lei. Per salvaguardarla. Per non peggiorare le sue condizioni
psicologiche. Su un magazine brasiliano di viaggi aveva letto
che «si doveva arrivare il sabato pomeriggio» per assistere
alle tipiche battaglie dei canarini. Fu felice di essere arrivata a Pirapora di lunedí. Salí a bordo dopo aver programmato
quel viaggio per anni, dopo aver pensato di farlo con Lota, la
voce che non arrivava piú dall'altra stanza, e poi con Lili, la
persona che pareva offrirle il ristoro. Aveva pensato che quel
viaggio, alla fine, non lo avrebbe mai compiuto. Poi, però,
per non rassegnarsi all'idea che tutto sarebbe andato perduto, decise di partire lo stesso. Da sola. Nel suo diario scrisse
di amare i viaggi in cui non accade nulla. Una settimana in
nave, andando il piú lontano possibile.

Il battello era stato costruito nel 1880. Era una di quelle imbarcazioni realizzate per navigare il Mississippi. A lei
doveva sembrare fuori luogo in un contesto del genere. I
brasiliani la chiamavano *gaiola*, la gabbia. Elizabeth venne
colpita, oltre che dalla vecchiezza del battello, anche dalla
sua esilità. Non poteva credere a quanto fosse piccolo, con
l'acqua molto vicina che schizzava dentro. Quelle acque li-
macciose e rosse del fiume magico, «quella terribile estensione d'acqua», come lo aveva chiamato João Guimarães Rosa
nel *Grande Sertão*. Elizabeth si trovava in Brasile da piú di
quindici anni. Lo aveva attraversato e amato. Era rimasta
incantata dalle felci giganti, dalla casa in cui aveva vissuto
ai piedi di una rupe «gravata da piogge e arcobaleni» e dai
fiori grandi «come gigantesche ninfee sospese in aria». Lei
che sentiva di non appartenere ad alcun luogo, lei che aveva
viaggiato quasi per tutta la vita senza famiglia, lei che aveva cercato consolazione nel mondo, alla fine si era fermata

a lungo in quella terra amazzonica. Nel libro uscito l'anno precedente aveva parlato anche di quei monti di foggia impervia, «forse pieni di autocommiserazione», che in Brasile sono «dolenti e aspri». Come sempre faceva appena arrivava in un posto, anche questa volta cercò di andare subito verso l'interno. Verso il cuore delle cose.

A bordo del battello erano in quattordici. Ciascuno di loro era legato a qualcun altro. Il natante, quasi minuscolo, impercettibile nelle ampie distese acquoree, superò Januária e Itacarambi. Il São Francisco è un fiume insolito e misterioso. Appartato e muto, non appartiene a quella famiglia di corsi d'acqua che uniscono e favoriscono i legami tra le città. In qualche modo, forse, apparteneva al mondo delle acque che piaceva a Elizabeth. Un fiume del *sertão*, un fiume del deserto, che cercava di precipitare libero nell'oceano. Un fiume carico di storie intessute con il filo delle amare conquiste e delle estreme sofferenze, come ogni spazio in quelle terre che furono attraversate da chi riteneva di portare la civiltà. Cosa pensò Amerigo Vespucci quando lo percorse quasi cinquecento anni prima? Cosa c'era allora sulle coste ora imbiancate e stinte e quasi inondate dal rossore delle acque?

Cosa pensava Elizabeth mentre il viaggio procedeva? In una cartolina scrisse che, con il passare del tempo, le parti peggiori del viaggio, di ogni viaggio, spesso sono destinate a diventare una macchietta, a sembrare divertenti. Ma, continuava, mai lo sarebbe diventata l'odiosa povertà che vedeva quando si avvicinavano ai porti. Il viaggio proseguiva, ma Elizabeth non riusciva a trarre sollievo. Quasi costretta, in quello spazio circoscritto del battello che si misurava con lo spazio infinito delle acque. Costretta a fare i conti con se stessa. Costretta a comprendere, in maniera inesorabile, in quale direzione l'avrebbe portata la strada che aveva scelto.

I viaggi aprono varchi su ciò che stiamo diventando. Certificano la nostra condizione. Ci scuotono dall'inconsapevolezza e in quell'andare altrove, nel confrontarci con l'altro, ci obbligano a prendere consapevolezza di ciò che altrimenti cerchiamo di nascondere a noi stessi. Il velo che cela le cose, in viaggio viene strappato senza esitazione. La solitudine, in viaggi come questi, diventa crudele, severa e racconta di noi, delle nostre condizioni, con una sincerità priva di dubbi. Elizabeth, in quella cartolina, parlò dei compagni di viaggio. Di quello spazio angusto. Di quello che si vedeva e di come le relazioni obbligate con gli altri l'avessero costretta a prendere consapevolezza. Il dolore. L'assenza. L'eco della voce di chi nella stanza non c'è piú. Tutti, a bordo, erano educati e simpatici, anche se le chiedevano sempre se avesse una famiglia. Quando lei rispondeva di no, la commiseravano. Quel che la ferí di piú, durante il viaggio, fu che cominciò a sentirsi evitata, trattata come se non fosse del tutto con loro. Fu l'ultimo grande viaggio che fece in Brasile. Quando scese dal battello, quando disse addio al São Francisco, sentí che quella era stata l'ultima immersione nel mondo interiore del Brasile. Per lei fu una specie di accettazione della solitudine. Lasciò, in quel continente incommensurabile, tutto ciò che aveva. Tranne pochissime cose.

Undici anni dopo, quando Lota non c'era piú da molto tempo a causa di quel gesto terribile che arrivò a compiere poco dopo il viaggio di Elizabeth, una giovane poetessa americana, Elizabeth Spires, andò a intervistarla per la rivista «The Paris Review». Era il 28 giugno 1978 e la incontrò nella sua living room al quarto piano di Lewis Wharf, nella Penobscot Bay, a Boston. Elizabeth Bishop viveva sempre vicino all'acqua, nei pressi delle baie, piú vicina possibile «alle isole che non si sono mosse dalla scorsa estate, anche se mi piace pensare di sí». Parlarono del Brasile e di tutto il tempo che vi aveva trascorso. Parlarono anche di quel viaggio. Elizabeth raccontò che aveva comprato delle cose che poi aveva portato con sé. Cose che non avrebbe sopportato di dare via. Mostrò, allora, una polena. Una di quelle figure che si pongono all'estremità prodiera dello scafo dei velieri. Alcune sono meravigliose, disse. Ma quella che mostrò, per sua stessa ammissione, era orribile. Raccontò che furono usate per cinquant'anni sul Rio São Francisco, in quel tratto navigabile lungo circa due o trecento miglia. Ce n'era una, disse, piú famosa e ammirata di tutte. Si chiamava Il Cavallo Rosso. Era stata fatta con il legno di jacaranda, la pianta da cui nascono quei fiori dai colori sorprendenti, blu, viola, porpora, che ne ricoprono tutti i rami. Il colore del legno è vivace e rossastro. È una polena meravigliosa, disse. Un cavallo con la bocca aperta. Per qualche ragione, tuttavia, tutte quelle polene sono scomparse. Le raccontò del viaggio che fece nel 1967 su quel fiume cosí solitario, immenso e muto. Sette giorni, durò, ma di quelle polene non ne trovò neppure una. E mentre rispondeva, mentre parlava di quella polena, di quel viaggio, sentiva ancora quella voce che non arrivava piú dall'altra stanza.

Ritornare a dipingere

È all'aria aperta che andava a cercare la luce dei suoi quadri, è all'aria aperta che fuggiva ogni volta che i pensieri gli esplodevano nella testa, è all'aria aperta che trovava i colori, quei colori che rapiscono e catturano, che rendono febbrile e viva la tela dei suoi quadri, piú ancora della natura stessa, piú ancora della vita stessa. A ventisette anni aveva già vissuto un'infinità di vite. Agli occhi di molti appariva già come un terreno inaridito. Lui cercava di fuggire dalle scelte compiute che, come una rete, lo avevano intrappolato. Era stato apprendista mercante d'arte a Londra. Aveva viaggiato. Aveva dipinto. Aveva desiderato di diventare missionario. Aveva sempre inseguito qualcosa d'infinito, senza il quale la vita non sarebbe servita a nulla. Aveva sofferto per il desiderio irrealizzato di vivere d'amore con una donna. Aveva provato a comprendere il paradosso dell'umanità.

Vincent Van Gogh decise di tornare all'aria aperta anche allora. Era marzo e faceva freddo, era ancora inverno, ma all'aria aperta avrebbe trovato un po' di ristoro. Decise di mettersi in viaggio per andare a incontrare il pittore Jules Breton. L'artista, piú che cinquantenne, abitava a Courrières, un piccolo villaggio nel Pas-de-Calais. Era il pittore che aveva dipinto *La ragazza che rammenda le reti* e *La benedizione dei campi di grano nell'Artois*. Vincent lo ammirava cosí tanto che nelle lettere al fratello lo indicava quasi sempre tra i grandi. Ripeteva a Theo che di Breton, seppure pittore di un colore

solo, bisognava studiare ogni cosa. Il pittore deve avere immaginazione e sensibilità. Lo aveva conosciuto a Parigi cinque anni prima, nel maggio del 1875. Vincent aveva ventidue
anni e molte cose non erano ancora successe. Jules Breton era
con sua moglie e le due figlie. Al fratello, quando Vincent gli
raccontò di quell'incontro che fu per lui un vero e proprio
evento, descrisse il meraviglioso dipinto che aveva visto alla
mostra dedicata a Camille Corot, *La fête de la Saint-Jean*, l'o-
pera di Breton in cui delle ragazze ballano in un pomeriggio
d'estate. Il quadro in cui, se lo si guarda ancora oggi che sono passati piú di cento anni, le ragazze continuano a ballare
intorno a un falò della festa di San Giovanni. Il villaggio solo
sullo sfondo. La luna, lassú, in cielo. Al tramonto, la fiamma
del falò palpita al centro del cerchio stretto delle donne che
si tengono per mano.

Anche un solo passo ci permette di eludere la disperazione e trovare rifugio. Anche un solo movimento, la curiosità
o la necessità di andare a trovare qualcuno, una persona che
pensiamo ci possa aiutare, che un tempo abbiamo incontrato
e a cui guardiamo con ammirazione. Un solo passo ci dà modo
di metterci in viaggio, anche se poi attraverso quel piccolo
moto saremo portati a scoprire che forse non avevamo cosí
bisogno di cercare quella persona, di ascoltarne le parole o
sentirne l'abbraccio. Perché qualcosa di inatteso accade, ci
svia da quell'obiettivo e ci impone una sorta di risveglio e
attenzione, di compassione e cura.

Quell'inverno Vincent non aveva piú scritto al fratello,
nessuno sapeva piú niente di lui. Durante l'estate del 1879
aveva chiesto dei colori ad acqua a Hermanus Gijsbertus
Tersteeg, il responsabile della galleria della casa d'arte Goupil
dove Vincent aveva lavorato insieme a Theo quando, piú
giovane, fece pratica per diventare un mercante d'arte. Poi
niente piú. Allora viveva a Cuesmes, nella periferia di Mons,
nel Borinage, la regione della Vallonia in Belgio. In una piccola casa in Rue du Pavillon.

Poi, a marzo, quel bisogno di andare all'aria aperta, an-

dare a cercare la luce, la gente, quel po' di infinito di cui non
si può non sentire il bisogno. In tasca aveva solo dieci franchi. Attraverso quel viaggio voleva uscire dalla gabbia che si
stava costruendo da solo. Prese prima un treno. Poi cominciò a camminare. I dieci franchi servirono a poco. Presto finí
tutto quello che aveva. Certo, l'intenzione era di andare a
Courrières. Andare a trovare Jules Breton, l'autore di quelle pitture che toccavano la realtà e infondevano vita al colore stesso. Ma era partito anche per cercare un po' di lavoro.
Qualsiasi tipo di lavoro.

Non passò per le strade, ma preferí attraversare i campi. Il
viaggio, in quel primo tratto, fu anche cammino e spossatezza.
«Per tutta una settimana, – raccontò al fratello, – ho dovuto
macinare strada con molta fatica». I luoghi che attraversò
fanno parte, oggi, del parco naturale dello Scarpe-Escaut. Il
luogo dove chiunque se ne va a piedi. Le valli alluvionali. I
campi agricoli. I corpi maestosi delle mucche. I silenzi.

Quello di Vincent non era un andare dritto, ma un avvicinarsi lento, zigzagante. Altrove avrebbe scritto che non
bisogna avere fretta, neanche in pittura, perché non si può
fare subito quello che si vuole, perché «si progredisce a poco
a poco». Quel suo modo di procedere, però, quell'avvicinarsi, era come se allo stesso tempo lo allontanasse dalla meta
che si era prefissato. Con sé aveva portato dei disegni che
diede via per qualche crosta di pane. Piú si approssimava a
Courrières, piú si allontanava da Breton. Qualche volta trovava un po' di riparo. Una notte si fermò a dormire in una
carrozza abbandonata, un'altra si accontentò di un mucchio
di fascine, un'altra ancora dormí in un pagliaio. Si avvicinava
sempre meno ai centri abitati, alle case. Trascorse le ultime
notti in piena campagna.

Di giorno camminava senza sosta e ormai quasi senza destinazione. Cominciava a osservare, a vedere, quello che ammirava dei quadri di Breton. Ciò che lo affascinava delle sue
opere prendeva vita davanti ai suoi occhi. Ogni cosa gli chiedeva attenzione e compassione. I pagliai, la gleba bruna, la

terra di marna che aveva quasi il colore del caffè, le chiazze
biancastre di roccia sedimentaria che sbucavano tra la terra.
Ne rimase stupito, lui che era abituato a terreni molto piú
scuri. Era questo che colpiva il pittore. Quello che gli altri
non riuscivano a vedere. All'aria aperta a osservare la luce,
alla ricerca disperata di quel poco d'infinito. Fu affascinato dalle fattorie e dai capannoni che conservavano il «tetto
di stoppie muschiose». Rimase qualche ora a fissare le figure dei contadini, dei vangatori e dei legnaioli. Smise quasi
di camminare. Era già arrivato, senza ancora saperlo. Il villaggio dei tessitori. Guardò i garzoni che guidavano i carri,
seguí incantato «le figurine di donna con la cuffia bianca».
   I piccoli borghi. Saint-Amand-les-Eaux, Millonfosse, Sars-
et-Rosières. Anche il cielo appariva diverso, molto piú limpido di quello «fumoso e carico di brume» che lo assediava
nel Borinage. In alto, con lo sguardo, inseguí il movimento
degli stormi di corvi. Cominciava a sedimentarsi già molto
di quello che sarebbe germinato negli anni a venire. Il filtro
del suo cuore. L'esaltazione di ciò che vedeva, le figure che
cominciavano a definirsi, a prendere un posto nella mente.
   Dopo quel lungo camminare e quegli svelamenti, quando
si avvicinò allo studio di Jules Breton, Vincent non ebbe il coraggio di fare l'ultimo passo. Non riuscí a trovare lo slancio,
il desiderio, la curiosità di bussare e lasciare che il volto di
quell'uomo, di sua moglie o di una delle figlie, lo accogliesse
con un saluto. Era forse preoccupato di ciò che era diventato? Di come il cammino di quei giorni lo aveva trasformato?
Cosa lo trattenne?
   Davanti allo studio del pittore, che all'epoca era molto
noto, Van Gogh provò una certa delusione. Trovò quella
nuova costruzione in mattoni «agghiacciante e imbarazzan-
te». Confessò tuttavia che non si trattò di questo, di questa
incongruenza architettonica. Confessò che a fermarlo fu la
vergogna. Quale vergogna? Lo studio non lo vide neppure.
Il pittore che ammirava, e per il quale aveva compiuto quel
viaggio sfiancante che lo aveva costretto a dar via alcuni dei

suoi disegni per mangiare, non sapeva neppure che lui era
lí, davanti alla sua porta. Cosí Vincent decise di tornare indietro verso Cuesmes. Ma prima di rientrare attraversando
i campi e rimettendo in moto il cuore, lo sguardo e la curiosità, notò un ritratto di Jules Breton nella vetrina di un fotografo. Lo sguardo fiero, il volto forte. Quanto orgoglio c'era
in quell'uomo ormai cosí famoso e acclamato. Quanta differenza con il proprio volto, con il proprio sguardo. Si fermò
in una piccola chiesa e al buio scovò una copia di un Tiziano.

Cosí cominciò il rientro. Nonostante tutto. Cosí Vincent
fece il primo passo per uscire dalla disperazione e cercare rifugio. Rifugio in quella che lui chiamava «malinconia attiva».
Ancora a piedi, ancora qualche riparo di fortuna. La malinconia del giovane pittore che avrebbe avuto solo altri dieci
anni per fare tutto quello che gli rimaneva da fare, e che non
immaginava neppure quanto poco, e quanto in fondo molto,
sarebbero stati quei dieci anni. In quel viaggio aveva trovato
la miseria. Ma proprio in quella miseria Van Gogh, solitario
e geniale, ritrovò la forza, quel frammento d'infinito che gli
fece scrivere al fratello: «Nonostante tutto ritornerò ancora a galla, riprenderò la matita che ho abbandonato nel mio
grande scoraggiamento, mi rimetterò a disegnare».

Le città dall'alto

Il grande corpo di Londra che non smette di attrarre. Quella città, che incessantemente cresce e si trasforma, sembra la porta d'accesso a qualcosa che altrove non si può trovare. La convinzione che la vita, in quella città, possa sfiorare chiunque. L'illusione che possa farlo salire, con un passo, sulla ruota che gira vorticosamente. Una città che si immagina aperta a tutti e che a tutti possa concedere qualcosa. Un'idea che si è sedimentata segretamente, silenziosamente, quasi non vista, dentro l'animo di ognuno. Quando J. M. Coetzee arrivò a Londra e cominciò a lavorare come programmatore informatico alla Ibm, dovette provare una simile sensazione. Di sera percorreva Great Russell Street, raggiungeva Tottenham Court Road e proseguiva a sud, verso Charing Cross. Si sentiva parte di quel flusso di ragazzi che arriva da ogni estremo del mondo e che viene quasi sospinto fuori dalle bocche dell'underground, dagli scalini già pieni di bottiglie di birra, di pagine dei quotidiani gratuiti cadute per terra come foglie di un autunno appena sopraggiunto. Chi entra ed esce dai pub, dai locali, dai ristoranti, dalle grillerie e dai cinema. Chi fuma in un crocchio di gente. La voce alta, le risate, il fragore vitale delle parole pronunciate tra chi si conosce da tempo. Tutto all'aria aperta come se ci si ritrovasse in un paese mediterraneo. Per un po' si convinse che quel divertimento spettasse in minima parte anche a lui, che da qualche parte ci fosse anche per lui qualcuno da incontrare. Allora cammi-

nava lungo le strade, entrava e usciva dal flusso irruento e
precipitoso. Poi, però, tornava verso Archway Station. Tornava alla solitudine della sua stanza. Era lí, solo lí, in quella
piccola camera, che riusciva ad arrivare.

José Matada, invece, nel settembre del 2012 riuscí ad arrivare fino all'aeroporto di Luanda. In Angola la lingua ufficiale è ancora il portoghese. La guerra coloniale per liberarsi
dal Portogallo l'aveva dilaniata. Sui muri delle case ci sono
ancora i segni dei proiettili. I sogni di notte sono pieni di
paure. Le baraccopoli. José aveva lavorato come giardiniere
presso una famiglia borghese svizzera in Sudafrica. Poi perse anche quel lavoro, come un arbusto che non era riuscito
a radicarsi. Indossava dei jeans, una felpa grigia col cappuc-
cio e delle trainer bianche. Aveva ventisei anni. In tasca un
pound e delle banconote del Botswana. In Mozambico, a casa sua, gli amici, i familiari, le persone che gli volevano bene lo chiamavano Youssoup. All'aeroporto era notte fonda.
Era da solo. Non c'era nessuno dei suoi amici. Nessuno con-
trollava l'accesso ai mezzi pronti al decollo. L'aereo sarebbe
decollato alle undici e trenta. Cosí si avvicinò al Boeing 747
diretto a Londra. Non aveva con sé il biglietto. Come poteva? Nessuno glielo avrebbe fatto comprare. Doveva forse
attraversare anche lui quel deserto infinito che lo avrebbe
portato a morire su una carretta in mezzo al Mediterraneo?
Fece dei passi rapidi per non farsi notare, poi, ancora piú rapidamente, si nascose nell'unico posto che gli fu concesso.
Entrò nel vano delle ruote di atterraggio e si infilò dentro.
Subito dopo l'aereo intraprese il precipitoso decollo. Il pilota vide il paesaggio d'Africa divenire cupo e remoto. Il cielo
freddissimo anche laggiú. Il viaggio sarebbe durato otto ore
e cinquanta minuti.

L'aereo si diresse verso São Tomé e Príncipe, sorvolò la
Nigeria, le luci di Lagos, il Niger. Attraversò l'intera Alge-
ria, poi, quasi paradossalmente, volò sopra Ibiza, l'isola del
sogno estivo, delle discoteche, dei cieli dove negli anni Sessanta ci si fermava ancora a guardare le stelle. A destra, lag-

giú in fondo, si saranno intraviste le luci di Barcellona. Ma è stato un attimo di meraviglia che è subito scomparso. Poi la notte, il freddo. La Francia, Tolosa. Infine la Manica. Londra, al mattino, si avvicinava rapidamente.

Nella metropoli inglese arrivò per studiare storia anche un giovane Salman Rushdie. Rushdie, nelle aule delle prestigiose istituzioni formative inglesi, scoprí subito l'esistenza di tre gravi errori in cui si rischiava di incorrere. Se ne facevi solo due, saresti stato perdonato. Altrimenti, l'avresti pagata cara. I tre errori erano: essere straniero, essere intelligente e non essere in grado di praticare alcuno sport. I ragazzi senza abilità sportive dovevano stare molto attenti a non sembrare troppo intelligenti e, se possibile, a non apparire troppo stranieri. Salman aveva tutti e tre i difetti. Quando scrisse il suo libro piú noto, *I versi satanici*, lo scrisse perché gli interessava un'opera su Londra. Sulla città che lo aveva adottato e che lui aveva immaginato piú di tutte le altre. Per rinascere, scrive Rushdie proprio all'inizio del libro, facendolo cantare a Gibreel Farishta, che precipita dai cieli, devi prima morire. Per scendere sulla terra rotonda, bisogna prima volare. Come puoi ancora sorridere, se prima non hai pianto? Come conquisti il cuore del tuo amore, signore, senza un sospiro? In quel libro, proprio all'inizio, poco prima dell'alba di una mattina d'inverno, il giorno di Capodanno, due uomini adulti e vivi cadono da seimila metri verso la Manica, senza l'ausilio di paracadute o di ali. Per rinascere, scriveva Rushdie, prima devi morire.

Londra si avvicinava. Il pilota, anche se abituato a quella vista, deve aver guardato con una certa meraviglia, ancora una volta, la città che gli veniva incontro con la solita improvvisa velocità. Per i piloti inglesi, che hanno girato il mondo, la vista di Central London è la piú sorprendente. Piú del Monte Bianco mentre volano verso Pisa, piú della Groenlandia durante i loro viaggi nord-atlantici, piú del Monte Fuji quando partono da Tokyo o dei canali di Venezia mentre si avvicinano alla Laguna per atterrare. Forse perché mentre

scendono alla guida del Boeing si sentono confortati dal definirsi improvviso dei cortili dietro le case, dei comignoli,
delle vetture, dei marciapiedi, delle vetrine dei negozi, del
Tamigi, del quartiere dove arriva la sfida dei canottieri di
Cambridge e Oxford. Deve essere stato allora che il pilota,
perso a osservare lo splendore mattutino di Londra, aprí il
carrello delle ruote per l'atterraggio.

Quando fu ritrovato il corpo di un africano senza vita in
una strada del quartiere di Mortlake, nella zona ovest di Londra, vicino all'aeroporto di Heathrow, nessuno si spiegò cosa
fosse accaduto. Sulla sponda sinistra del Tamigi, tra casette
colorate, negozi di canne da pesca e automobili dalle grosse
cilindrate parcheggiate sul ciglio dei marciapiedi. La prima
idea degli investigatori fu che si trattasse della vittima di un
omicidio. Ma non era cosí. Non poteva essere un omicidio,
in piena strada, in un quartiere cosí tranquillo. Solo dopo
qualche anno si capí che il corpo era quello di José Matada,
il giovane del Mozambico che gli amici chiamavano Youssoup, il ragazzo che all'aeroporto di Luanda si era infilato
nell'incavo delle ruote di atterraggio.

A quelle altitudini si dovrebbe morire entro un'ora dalla
partenza. Ma non andò cosí. Nonostante fosse vestito con
abiti leggeri, José sopravvisse a tutto il volo. Sopravvisse al
freddo incredibile e all'assenza di ossigeno. Probabilmente
inconsapevole e privo di sensi. Poi quando il pilota ha aperto
il carrello per l'atterraggio, José deve essere volato giú verso Londra, come i due protagonisti del romanzo di Salman
Rushdie. Senza paracadute. Senza ali. Per vivere, deve aver
pensato in un solo istante, devi prima morire. Nelle tasche
di José gli investigatori trovarono anche una scheda telefoni-
ca. Il testo dell'ultimo messaggio che aveva spedito era: «Ti
posso chiedere un favore?»

Quel che poteva avvenire

Il 15 giugno del 1914 Marc Chagall salí su un treno alla stazione di Berlino. Un paio di giorni prima aveva provato la vertiginosa emozione di assistere all'inaugurazione della sua prima mostra personale. Solo i suoi quadri. Solo i suoi colori. I suoi pensieri. Di fronte a tutti, alla galleria Der Sturm di Herwarth Walden a Potsdamer Strasse. Un paio di giorni prima era partito da Parigi carico di quaranta pitture e centosessanta acquarelli. E, per andare verso Vitebsk, verso la meta lontana che era la sua destinazione, li aveva lasciati a quel mercante d'arte tedesco che lo aveva invitato con tanto entusiasmo. La ragione ufficiale della partenza, la ragione per cui avrebbe attraversato quella grande porzione di Europa centrale che conduce agli spazi remoti e silenti della Russia, per arrivare fino alla cittadina dove era nato, era il matrimonio di sua sorella Aniuta. Ma in realtà quel viaggio rappresentava per lui una prova decisiva. Quel viaggio gli serviva a capire se era ancora in grado di far accadere un futuro che altrimenti non sarebbe piú accaduto.

Nella distanza che separa due luoghi lontanissimi si insinua spesso la sensazione che, mentre il tempo trascorre, non si sarà piú in grado di far sí che avvenga il futuro che si è immaginato a lungo. In quella distanza che si apre tra due mondi lontani, l'uno si affanna a pensare che l'altra sia sul punto di smettere di attendere il gesto del viaggio, il gesto della riunione, il movimento che li riavvicinerà. In quella distanza che separa due luoghi lontanissimi cresce l'idea che non si potrà piú percorre quello spazio e che il futuro prenderà una piega inattesa. Che quello che sarebbe potuto avvenire, non avverrà mai piú.

Nella capitale francese, in quella città in cui si era imbevuto di dipinti, di emozioni, dove gli era sembrato che gli dèi gli fossero apparsi di fronte, se ne era rimasto in disparte a dipingere, uno dopo l'altro, i suoi quadri, la *Figura davanti alla volta blu*, il *Nudo rosso*, *Autoritratto con aureola* e altri ancora. Sempre senza preoccuparsi di incontrare chissà chi. A Parigi pensava che si dovesse rimanere soli, che ci si dovesse perdere nella folla, per sentire battere il cuore. Poi a un certo punto capí che andava fatto qualcosa che non riguardasse solo la pittura. Che ad altro, ora, doveva rivolgere la sua attenzione. Cosí, poco prima di partire per Berlino, si fece rilasciare dall'ambasciatore russo il documento che gli era necessario. Un foglio di carta, un misero ma importantissimo foglio di carta in cui si notificava che lui sarebbe andato in Russia passando per Berlino.

Il treno si diresse a nord-est, verso Poznań, verso Varsavia. Lo sguardo del pittore attraversò la insistente monotonia delle pianure, immaginò le luci e i riverberi del Baltico che si apriva poco piú a nord e si accorse appena in tempo della maestosità della Vistola. Tre anni prima aveva fatto quello stesso viaggio in senso inverso. Per fuggire da Vitebsk e andare a Parigi. Per conoscere il pittore che si era tagliato l'orecchio. Perché era stufo delle aringhe, perché voleva saperne di piú di cubi e quadrati. Impiegò quattro giorni per raggiungere la città dove avrebbe trovato quei colori «trasparenti» che a Vitebsk, dove era stato bambino, dove era cresciuto, dove aveva convinto la madre ad accettare per lui un futuro da pittore, non riusciva a trovare. E appena arrivato in quella metropoli sognata da ogni pittore, solo l'infinita distanza, solo la fatica di dover affrontare di nuovo quel lunghissimo viaggio lo trattenne dal riprendere subito il primo treno per Vitebsk. Poi però andò al Louvre e capí che doveva restare.

A costo di correre un rischio, perché la persona che lo stava aspettando in quella cittadina lontanissima avrebbe potuto smettere di attenderlo.

Piú andava avanti, piú si avvicinava al luogo in cui era nato, piú i colori perdevano trasparenza. I viaggi sono giorni interi. Sono mattine, pomeriggi, sere. Il treno, pure se lentissimo, riduceva l'infinita distanza in cui si insinua il dubbio che il futuro non possa piú accadere. Chagall guardava fuori dal finestrino e ciò che vedeva non gli faceva presagire nulla. Non sapeva che entro un mese sarebbe iniziata quella che lui stesso avrebbe chiamato la «sanguinosa commedia» della Prima guerra mondiale. Voleva assistere al matrimonio della sorella, ma soprattutto, come scrisse nel suo diario con il pudore che lo spinse a non trascriverne il nome, voleva rivedere «lei», la persona che era rimasta in quella città lontanissima, alla fine di tutta quella distanza. Era per lei che tornava nella città che aveva abbandonato.

Il fascio di lettere spedite per colmare la distanza, le parole scritte, sembravano amari epitaffi alla loro relazione. Quel gesto, quel viaggio interminabile, infine deciso, intrapreso sulla soglia di una guerra mondiale, cercava in qualche modo di sovvertirne il senso, l'epilogo. Il treno, dopo Varsavia, salí verso nord. Attraversò città dai destini di confine cosí simili. Superò le case di Białystok, che da lí a poco sarebbe stata distrutta dalla guerra prima di subire anche la furia nazista. Passò Hrodna, depredata e passata di mano in mano. Occupata e tormentata. Mentre viaggiava, Chagall parlava con una compagna francese incontrata in treno. Quando arrivarono a Vilnius, la invitò a guardare fuori dal finestrino: «Ecco la Russia», disse. Ma sapeva che non era del tutto vero, perché neppure lui conosceva bene la Russia. Quel gigante che resta celato a molti per la grandezza, la vastità, per tutto quello che rimane impenetrabile e indecifrabile. Anche lui, che in quel ritorno provava a fare da guida a chi arrivava dalla Francia e visitava quei luoghi per la prima volta, della Russia aveva vissuto pochissimo o nulla. Oltre a Vitebsk aveva visto San Pietroburgo, dove aveva studiato, e poco altro.

Quando infine il treno giunse a destinazione, quando tutta quella infinita distanza venne colmata, alla piccola stazione di Vitebsk, quasi per posporre ancora quello che doveva scoprire, ma forse spinto soltanto dalla gentilezza che caratterizzava il suo modo di stare al mondo, si preoccupò di accompagnare la francese al treno che partiva per Carskoe Selo.

Cosí rientrò nella casa delle origini. Trovò la madre, il padre. La città. Vitebsk, cosí singolare e infelice. Scoprí presto che la sua permanenza non sarebbe durata il tempo breve di tre mesi che lui aveva immaginato, ma molto di piú. Dovette rimanere proprio lí da dove era fuggito. Era scoppiata la guerra e presto sarebbe arrivato anche il tempo della rivoluzione. Per anni il suo ritorno a Parigi fu impossibile. Eppure in quei giorni, in quei mesi, in quegli anni, cominciò a dipingere ogni cosa. Non gli serviva molto, niente di straordinario, perché lo straordinario lo aveva negli occhi. Si accontentava di una siepe, di un palo, di un tavolo o di una sedia. Dipingeva ogni cosa. Dipingeva tutto quello che vedeva dalla finestra, tutte le persone che incontrava per strada. Ogni cosa, ogni essere umano, non era solo quel che era, ma un quadro che lo stava aspettando. Lui non doveva fare altro che cogliere quella figura, quell'oggetto, nel modo in cui ormai aveva scoperto di saper fare.

Quando infine riuscí a convincere i genitori di lei, che lo vedevano come un artista inaffidabile, senza rendersi conto del mondo che conteneva, della dolcezza che donava a quella figlia, quando si mise a dipingere se stesso che prendeva il volo intorno al volto di Bella nel giorno del suo compleanno e loro due insieme che volavano sopra il cielo di Vitebsk, allora il futuro, che sembrava non sarebbe piú accaduto, riuscí invece ad accadere.

Fino alla fine del mondo

Il tempo consuma e trasforma ogni cosa. Tuttavia qualcosa, di ciò che siamo, resta immutato, come una voce profonda che nel cavo di noi stessi continua a cantare una piccola melodia. Il tempo consuma e trasforma. Ma qualcosa, qualcosa che è l'essenza, si perpetua. Cosí il viaggio, che somiglia al tempo, muta e travolge. Quel che accade e si vive nello spazio lontano, dove il dolore e la tenerezza sono troppo vicini, quando ci muoviamo, quando si prende una nave, quando siamo spinti cosí lontano che il mondo che si vede aggredisce ogni cosa. Il viaggio travolgerà ogni cosa. La distanza, l'altro mondo, tutto quello che accade, ordisce una trama continua che ci fa perdere la bussola, che dissolve la nostra personalità, che ci fa dimenticare chi siamo. Quando la tenerezza e il dolore sono troppo vicini si rischia di bruciare il proprio cuore. Si rischia di perdere la memoria di ciò che si è stati. Eppure può accadere, a chi riesce a trovare il filo della propria salvezza, di trattenere qualcosa. Come un naufrago che in un'isola deserta si costringe a trovare quel che gli sarà necessario, semmai avrà la fortuna di percorrere la via del ritorno, per tornare quel che era prima, cosí, quando si torna da un viaggio in cui si sarebbe potuti naufragare, là dove la tenerezza e il dolore, l'atroce e la compassione sono troppo vicini, si torna solo con quello che di sé è davvero necessario.

La *Vera Cruz* era una nave che ogni sabato intorno a mezzogiorno partiva da Lisbona, dal porto dell'Alĉantara.

Di fronte, il Ponte 25 de Abril con i suoi piloni altissimi e il
piano viabile che arriva oltre l'altra sponda del Tago. All'e-
poca quel ponte, agli inizi degli anni Settanta del Novecento, si chiamava ancora *Salazar*, come l'uomo che trasformò
il Portogallo in una dittatura. La nave, prima di partire, era
ferma come un mammifero gigantesco. Indifferente al bru-
licare delle persone, rovistava dentro le proprie interiora
emettendo rumori incomprensibili. Un sabato, nel gennaio
del 1971, António Lobo Antunes salí a bordo per andare
dall'altra parte del mondo. Da Lisbona fino a Luanda. Non
aveva ancora compiuto ventinove anni. Il padre voleva che
si laureasse in medicina. Invece lui, che cercava le parole
per diventare scrittore, alla fine si era laureato in psichia-
tria, forse perché quei saperi che cercano dentro i pensieri
degli uomini gli dovettero sembrare molto simili agli elementi alchemici che danno vita alla scrittura. In fondo, anche con la letteratura cercava di capire cosa si agita nella
mente, nelle paure e nei desideri.

Si era da poco sposato, preso da febbrile amore, con Maria
José Xavier da Fonseca. Lei aspettava una bimba. Al porto,
una volta separati, in quelle ore cosí cruciali, cosí repentine,
stranianti, ad António sembrò quasi di essere sotto aneste-
sia. Forse era un modo di prendere le distanze da quel che
sarebbe accaduto. Dopo essere salito, mentre i rumori dalle
interiora della nave crescevano, non si era accontentato, aveva ancora sete di quella luce e di quel profumo, e con gli occhi cercò di nuovo tra chi era rimasto a terra il viso di Maria
José. Un ultimo sguardo. La cercò laggiú, ma non la trovò.
Era già andata via. Solo in quel momento, in quell'attimo,
quando capí che lei non c'era piú, che forse non sopportava
gli addii strazianti e preferiva essere lei a voltare le spalle a
chi partiva, Lobo Antunes si accorse con certezza che stava
partendo. È cosí. Appena non vediamo piú la persona che
amiamo, appena perdiamo di vista il suo sguardo e non riusciamo piú a sentire la sua voce, non siamo piú nel luogo in
cui siamo noi stessi.

Il viaggio sarebbe stato lunghissimo. Cosí António pensò che la soluzione migliore fosse quella di rifugiarsi in cabina. Con lui, su quella nave, oltre duemila ragazzi partivano per l'Angola, per quella terra, per quella colonia attraversata dalla straziante guerra di liberazione, dove la tenerezza e la rabbia, la compassione e l'atrocità vivevano troppo vicine. Nel profondo di quelle pareti, nel chiuso della sua cabina, sentiva le grida e i pianti. Poi la partenza, lo strappo, il silenzio, il mare che richiamava la nave e lasciava che Lisbona continuasse da sé la vita di ogni giorno. La Torre di Belém, Carcavelos, le spiagge di Cascais. Poi nient'altro. Niente piú Portogallo. Niente piú Maria José. Solo il mare aperto.

La prima tappa fu Madeira. Era il 7 gennaio e António, senza perdere tempo, spedí una lettera a sua moglie. L'isola era di una bellezza straordinaria. Immaginava di tornarci insieme a lei. Da soli. Con la testa, mentre il viaggio lo conduceva altrove, rimaneva intento a costruire la prospettiva della loro vita. Ogni istante pensava a quello che ancora avrebbero condiviso. Tessere il filo del futuro che anelava a vivere era l'unico modo di non spezzare il filo che lo legava al passato condiviso con lei.

Ai fianchi della *Vera Cruz* scorrevano la Mauritania, il Senegal, la Guinea, la Sierra Leone, la Liberia, la Costa d'Avorio. E ancora il Ghana, il Togo. Le dittature. Le lotte. Il deserto. I wadi. Sembrava un rosario di cui ciascuna perla era allo stesso tempo una terra meravigliosa e una terra straziante. Un incanto e una disperazione. A bordo c'era anche una sala cinematografica. I film proiettati non erano un granché. Il buio della sala, vicino a quelle coste insanguinate d'Africa, pareva una messa in scena surreale. Dopo un'ora o due di film António si sentiva cosí straniato, cosí istintivamente assetato di vita quotidiana, da provare l'illusoria sensazione che se si fosse alzato dalla poltrona, se si fosse incamminato verso l'uscita e avesse spostato la tenda di velluto, sarebbe potuto salire in macchina per tornare a casa da lei. C'era un'orchestra. E sentirla suonare per migliaia di uomini in uniforme gli fece provare, acuto, il rimpianto delle troppo poche volte in cui era andato a ballare insieme a lei. Troppo poche volte a sentire l'odore dei suoi vestiti e della sua pelle.

Dopo nove giorni di nave scrisse di nuovo a Maria José. Scrisse un labirinto di parole, ricco, barocco, dove ogni descrizione lasciava intravedere la natura abissale e densa, aspra e ricca, della sua letteratura migliore, unica e irripetibile, di cui una volta disse: «Scrivo, come non scrivo neppure io». In qualche punto, quando la nostalgia di lei si faceva pungente, i sostantivi perdevano gli aggettivi, le frasi si asciugavano all'essenzialità originaria: «Amore mio, ti adoro». E quelle parole sembravano la statua che erigeva nel proprio deserto. Quando il desiderio diventava piú febbrile, confessava il suo amore fremente e incredulo: «Quanta voglia avrei di tornare, di tornare in fretta per poterti vedere, per toccarti». Ricordava ogni dettaglio del corpo della donna con cui aveva condiviso la gioia e la libertà. Quel ricordo, già cosí distante, già cosí oltre lo spazio condiviso, diventava dolore acuto: «Il tuo neo sul collo del piede, il tuo dente d'oro, l'incavo della tua nuca».

Quando approdò a Luanda, il 16 gennaio, si ritrovò sotto un caldo torrido. Ad aspettarlo c'erano lo zio João con l'uniforme da maggiore, la moglie Teresinha e il cugino Fefe. La terra era rossa e le notti «piene di mormorii di insetti e di foglie». Sei giorni dopo, il 22 gennaio, partí alle tre del mattino con un autocarro diretto a Nova Lisboa. Un'ora dietro l'altra senza riuscire piú a contarle, fino allo sfinimento. Poi un pomeriggio prese il treno per Luso. Viaggiò per altri due giorni su un vagone di quarta classe. Il suo precipizio continuava. Arrivati a Luso, sistemati su dei camion, attraversarono cinquecento chilometri con le mine che, in ogni istante, potevano esplodere al loro passaggio.

All'arrivo scrisse ancora alla moglie: «Qui è la fine del mondo. Paludi e sabbia». Da cosí lontano, il profumo e la luce di Maria José dovettero diventare qualcosa di inconcepibile. Forse, addirittura di inservibile. Invece António riuscí ancora una volta a trovare la forza di tenerla in vita: «Abbiamo vissuto tante cose insieme che sono loro che mi metto sotto la testa, come cuscino per addormentarmi». Ma tutto quello che accadeva lo allontanava da se stesso e dalla persona che era prima. In una lettera le scrisse proprio cosí: «Non sarò piú la persona che ero prima, mai piú». Passò il tempo. Si occupava dei feriti gravissimi. Saliva sui carri antimine per salvare chi era tenuto in vita da un filo esilissimo. Ogni giorno quel che accadeva si sovrapponeva a quel che ricordava. Continuava la furibonda, disperata ricerca della sua voce. Si faceva spedire libri, li leggeva, li confrontava. Cercava nelle parole degli autori piú affermati, mentre assisteva alla tragedia della guerra, le stesse risposte che lui cominciava a trovare. Si sentiva sempre piú isolato. Sempre piú vicino a qualcosa di unico. A un passo dal compromesso tra il «flusso torrenziale e un'intelligibilità perfetta». Aveva una disperata necessità di vivere «senza una canna di fucile puntata alla testa». Aveva ancora la forza di scriverle: «Che voglia ho di dormire con te, di toccare i tuoi indumenti femminili! Di annusarti».

Desiderava soltanto che il tempo passasse. E provò tristezza per quel suo desiderio di dissipare ciò che gli restava da vivere. Alla fine, quando tornò dall'Angola, era un altro. Eppure il 16 gennaio del 1973, quando mancava poco al rientro definitivo a Lisbona, da Marimba le scrisse: «Sei la mia qualità migliore, sei tutto. Senza di te rimango nudo, indifeso, fragile, senza sapere che cosa fare». E il 30 gennaio, a un passo della partenza: «Ti adoro malgrado la mia bruttezza e la mia mancanza di tenerezza, disperatamente». Dopo quei viaggi infiniti che lo mutarono per sempre, lo asciugarono e lo infiammarono; dopo quei ventisette mesi terribili e tragici alla fine del mondo, durante i quali la tenerezza provata per le madri che aiutava a partorire e la disperazione per la solitudine e la violenza erano state troppo vicine, António tornò a Lisbona solo con quello che di sé era davvero necessario. La scrittura e l'amore.

Indice

Stampato per conto della Casa editrice Einaudi
presso ELCOGRAF S.p.A. - Stabilimento di Cles (Tn)

C.L. 23275

Edizione

Anno

10   11   12   13   2018   2019   2020   2021